# Familiengeschichten

Peter Rosegger

# Familiengeschichten

L. Staackmann Verlag · Österreichischer Agrarverlag

# Impressum

© 2005
L. Staackmann Verlag KG
Lochener Straße 6
D-83623 Linden

E-Mail: info@staackmann.de
Internet: www.staackmann.de

ISBN: 3-88675-049-3

© 2005 Österreichischer Agrarverlag
Druck- und Verlagsges.m.b.H. Nfg.KG
Achauer Straße 49a
A-2333 Leopoldsdorf

E-Mail: buch@agrarverlag.at
Internet: www.avbuch.at

ISBN: 3-7040-2076-1

Herausgeber: Dr. Susanne Vogel
Projektleitung: Claudia Stoifl für avbuch – Österreichischer Agrarverlag
Korrektorat: Axel Fussi
Satz: Hantsch & Jesch PrePress Services OEG, A-2333 Leopoldsdorf
Druck: Landesverlag Druckservice GmbH, Linz

# Inhalt

# Vorwort

Das Leben der Bauern in der Waldheimat hat sich während der letzten 150 Jahre in seiner Ursprünglichkeit nicht wesentlich verändert. Nach wie vor ist es für die Waldbauern mühsam, das Heu von den Bergwiesen einzubringen und die wirtschaftliche Existenz zu sichern. Aber das Leben hat damals wie heute auch seine Freuden, besonders für die Kinder und die Heranwachsenden.

Um den Tisch am Kluppeneggerhof in der Waldheimat sitzen bei den täglichen Mahlzeiten, die eher karg und auch nicht allzu reichlich sind, die Familienmitglieder, die Eltern und die Kinder, aber auch Knecht und Magd und oftmals auch einer, der sonst kein Zuhause hat: ein armer Hirtenjunge, dem die Eltern gestorben sind, ein ausgedienter Knecht, den keiner mehr haben will, eine alte Schwester der Eltern oder Großeltern ohne Familie. Viele Menschen sind um den heranwachsenden Peter herum, aber die wichtigsten sind, wir für jedes Kind, Vater und Mutter. So ist es für ihn auch ein schlimmer Tag, an dem die Eltern sich entschließen, in der Zukunft nicht ihm, sondern seinem jüngeren Bruder, der körperlich viel stärker ist, den Hof zu übergeben. Er muss in die Lehre gehen und wird schließlich Schneidergeselle.

Wenn der junge Peter dann einmal nach Hause kommt, ist er nur noch Gast. Doch das ist der Lauf der Welt und damit weiß man sich auch in der Waldheimat abzufinden, auch wenn das anfangs nicht leicht ist.

Später sagt Rosegger einmal: „Das Glück daheim zu sein, ist nicht umzubringen, nur dass dieses Glück in der Erfüllung nicht ganz so selig ist, als jenes in der Sehnsucht war." Man wird erwachsen und muss seinen eigenen Weg gehen und der ist beim Peterl vom Kluppeneggerhof schon etwas ganz Besonderes: Denn nicht jeder wird ein Dichter und dazu noch ein weltberühmter!

*Dr. Susanne Vogel*

# Von meinen Vorfahren

Bauerngeschlechter werden nur in Kirchenbüchern verbucht. Das Kirchenbuch zu Krieglach, wie es heute vorliegt, beginnt im siebzehnten Jahrhundert mit dem Jahre 1672. Die früheren Urkunden sind wahrscheinlich bei den Einfällen der Ungarn und Türken zugrunde gegangen. Zu Beginn des Pfarrbuches gab es in der Pfarre schon Leute, die sich Roßegger schreiben ließen. Nach anderen Urkunden waren in jener Gegend schon um 1290 Rossecker vorhanden. Sie waren Bauern. Teils auch Amtmänner und Geistliche. In Kärnten steht noch heute eine Schlossruine, Roßegg oder Rosegg genannt; man könnte also, wenn man hoffärtig[1] sein wollte, sagen, die Roßegger wären ein altes Rittergeschlecht und obiges Schloss sei ihr Stammsitz. Aber diese Hoffart brächte zutage, dass wir herabgekommene Leute wären. – Bei Bruck an der Mur in der Steiermark steht ein schöner Berg, der auf seiner Höhe grüne Almen hat und einst viele Sennhütten gehabt haben soll. Dieser Berg heißt das Roßegg. Man könnte also, wenn man bescheiden sein wollte, auch sagen, die Roßegger stammten von diesen Almen, wo sie einst Hirten gewesen, Kühe gemolken und Jodler gesungen hätten. – In der nächsten Nachbarschaft der Krieglacher Berggemeinde Alpl, in der Pfarre Sankt Kathrein am Hauenstein, der Gegend, die einst von Einwanderern aus dem Schwabenland bevölkert worden sein soll, steht seit unvordenklichen Zeiten ein großer Bauernhof, von jeher insge-

---

[1] hochmütig

heim „beim Roßegger" genannt, trotzdem die Besitzer des Hofes nun schon lange anders heißen. Möglich, dass genannter alter Bauernhof das Stammhaus der Roßegger ist. Diese sind ein sehr weitverzweigtes Geschlecht geworden; in Sankt Kathrein, in Alpl, in Krieglach, in Fischbach, in Stanz, in Kindberg, in Langenwang usw. gibt es heute viele Familien Roßegger, deren Verwandtschaft miteinander gar nicht mehr nachweisbar ist. Zumeist sind es einfache Bauersleute. Ein Priester Rupert Roßegger hat große Reisen gemacht, darüber geschrieben und auch Gedichte verfasst. – Das, was ich von meinen Ahren weiß, hat mir größtenteils mein Vater erzählt, er hat besonders in seinen alten Tagen gerne davon gesprochen. Was daran Tatsache, was Sage ist, lässt sich schwer bestimmen.

Der Bauernhof in Alpl, zum unteren Kluppenegger, in diesem Buch auch der „Waldbauernhof" genannt, gehörte zu Anfang des achtzehnten Jahrhunderts einem Mann, genannt der Anderl[2] in Kluppenegg. Das soll ein wohlhabender Mann gewesen sein und in der Erinnerung der Familie wird er noch heute der „reiche Kluppenegger" geheißen. Er hat ein Pferd besessen, mit welchem er für die Gemeinde Alpl den Saumverkehr mit dem Mürztal (Fahrweg hat es damals noch keinen gegeben) versorgt haben dürfte.

Der Anderl in Kluppenegg war einmal beim „Graßschnatten[3]" vom Baum heruntergefallen und hatte einen hinkenden Fuß davongetragen. So soll er am Sonntag auf seinem Pferd in die Kirche geritten sein, auch beim Wirtshaus sich den Krug Wein aufs Rösslein reichen lassen und ein großes Ansehen gehabt haben.

Dieser Anderl hat wahrscheinlich auch das stattliche Haus gebaut, welches auf seinem Trambaum[4] die Jahreszahl 1744 führt und dessen Zimmerholz an vielen Stellen heute noch hart wie Stein ist, weil man zu jener Zeit das Bauholz aus reifen Waldungen genommen hat. Der Anderl hatte einen Bruder bei sich in der Einwohn[5], der Zimmermann war. Zur Zeit gehörten zum Hof zwei „Gasthäusln"; in dem einen, das gleich oberhalb des Gehöftes stand, wohnte ein Schneider, in dem andern, das tief unten an der steilen Berglehne war, wohnte ein Schuster; der Anderl selbst ver-

---

[2] Andreas

[3] das Entasten noch stehender Bäume, um das Entstehen zu großer Astlöcher im Holz zu verhindern

[4] Firstbalken

[5] Wohnung

stand die Weberei, die Lodenwalcherei und die Hautgerberei, also hatte er die wichtigsten Gewerbe beisammen und konnte den Nachbarn damit aushelfen. Auch hatte er unten im Graben eine zweiläufige Getreidemühle gebaut und gleich in demselben Gebäude eine Leinölpresse. Der Anderl soll fast Tag und Nacht gearbeitet haben, sich ausgeruht nur auf dem Pferde. Von einem Kluppenegger geht die Sage, dass er eines Tages auf dem Pferde sitzend tot nach Hause gekommen sei; ob das von dem Anderl gilt, oder von einem noch Älteren, das kann ich nicht berichten.

Der Anderl hat nur ein einziges Kind gehabt, eine Tochter. Die soll viele Freier abgewiesen haben. Da kam der junge Nachbar vom Riegelbauernhof.

Das Riegelbauernhaus ist das zuhöchst gelegene in Alpl und von ihm aus sieht man rings über die Engtäler des Alpls hinweg in der Ferne hohe Berge. Man pflegte in alten Zeiten die Höfe hoch hinauf zu bauen, so hoch, dass man oft nicht einmal einen Brunnen hatte, eben wie auch bei diesem Riegelbauernhof, wo man jeden Tropfen Wasser unten an der steilen Berglehne holen musste. Das Gebäude der Riegelbauern ist erst vor kurzem niedergerissen worden. In diesem Haus tauchten jetzt die Roßegger auf. Ihrer sollen zur Zeit viele Buben gewesen sein und einer davon, der Josef, ging zur Kluppeneggertochter herüber. Also hat die Kluppeneggertochter vom Riegelbauernhof her den Josef Roßegger geheiratet, welcher am 16. März 1760 geboren worden war.

Der Josef soll ein kleines, rühriges Männlein gewesen sein, an seinen kurzen, rundlichen Beinen niedrige Bundschuhe, grüne Strümpfe und eine Knielederhose getragen haben, auf dem Kopf einen breitkrempigen Filzhut, unter welchem lange graue Locken bis zu den Achseln herabreichten. Ein kleines hageres Gesicht, stets wohlrasiert, graue lebhafte Äuglein und im Mund allzeit ein harmloses Späßlein, so dass es immer zu lachen gab, wo der „Sepperl" dabei war.

Der Sepperl hat auch die Kunst, zu schreiben verstanden. In einem alten Hausarzneibuch steht mit nun freilich verblasster Tinte schlicht und schlecht geschrieben: „Groß Frauentag, 1790. Ich, Joseph Roßegger, habe am Heutigen den Erstgeporenen Suhn Ignatzius bekemen. Empfelche[6] das klein Kind unserer Lieben Frau."

---

[6] empfehle

Vom Sepperl erzählt man auch, dass er schon in seiner Jugend graue Haare bekommen hätte. Er sei nämlich während eines schweren Nachtgewitters auf einer hohen Tanne von wütenden Wölfen belagert worden und habe Todesangst ausgestanden. Der Sepperl soll eine Alm gepachtet und sich nebst Ackerbau und Holzwirtschaft viel mit Viehzucht befasst haben. Er hatte zeitweilig acht Knechte und ebenso viele Mägde gehabt, zu denen nachher noch die eigenen Kinder kamen.

Die Söhne hießen Ignatz, Michel, Martin, Simon, Baldhauser, Jakob. Von diesen Brüdern ist die große Verträglichkeit und Einigkeit in der ganzen Gegend sprichwörtlich geworden. In jeder Arbeit halfen sie einander, und wo an Sonntagen einer der „Kluppeneggerbuben" war, da sah man die anderen auch. Keiner ließ über die anderen ein böses Wort aufkommen, jeder stand für alle ein. Wenn es um einen Bruder ging, so hob selbst der Friedfertigste, der Ignatz, seinen Arm. Wer einen dieser Burschen überwinden wollte, der musste alle sechs überwinden, und der, für den einer derselben eintrat, hatte sechs gute Kameraden.

Mehrere dieser Brüder kauften sich später Bauerngüter im unteren Mürztal oder erheirateten sich solche. Dadurch entkamen sie der Militärpflicht. Soldat ist nur einer gewesen, derselbe starb zu Pressburg an Heimweh. Der Baldhauser, welcher die Soldatenlänge nicht hatte, brauchte sich um einen Besitz nicht zu bemühen, er blieb im heimatlichen Hof als Knecht.

Der Josef erreichte ein hohes Alter. Auf einem Besuch bei einem seiner verheirateten Söhne im Mürztal ist er fast plötzlich, über Nacht, gestorben (1815). Bevor er zu jenem Besuch fortging, soll er gebeugt und auf seinen Stock gestützt, hastig dreimal um den Kluppeneggerhof herumgegangen sein und dabei mehrmals gesagt haben: „Nicht geboren, nicht gestorben, und doch gelebt!" Als er hierauf nicht mehr heimgekommen war, hat man das so gedeutet, als hätte er sagen wollen: In diesem Haus bin ich nicht geboren und werde darin nicht sterben, und habe doch darin gelebt.

Zur selben Zeit war schon sein Sohn Ignatz (geboren 1790) Besitzer des Kluppeneggerhofes.

Er heiratete eine Tochter aus dem Peterbauernhof, namens

Magdalena Bruggraber[7]. Diese Magdalena hatte auch mehrere Brüder, wovon einer sich das nachbarliche Grabenbauernhaus erwarb; sein Bruder Martin war bei ihm Knecht. Seit jeher waren diese beiden ein paar gute Genossen gewesen zu den Kluppeneggersöhnen; jetzt in Verwandtschaft getreten, standen sie noch fester zu ihnen. Und doch ist es einmal anders geworden, wir werden das später erfahren.

Der Ignatz Roßegger soll ein schöner, stattlicher Mann gewesen sein, sonntags in schmucker Steirertracht, wie sie damals der Erzherzog Johann wieder zu Ehren gebracht hatte, ins Pfarrdorf gekommen sein und gerne gesungen haben. Die helle Stimme des „Natzl in Kluppenegg" war in der ganzen Gegend bekannt, und keinen Tag gab Gott vom Himmel, ohne dass man den „Natzl" jauchzen hörte auf der Weide oder in den Wäldern von Alpl. Im Gegensatz zu seinem Vater trug er kurzgeschnittenes Haupthaar, ließ aber seinen blonden Schnurrbart stehen. Die Herrschaft (das Grafenamt Stubenberg) sah es damals nicht gerne, wenn die Leute ihren Bart stehen ließen, das war „neuerisch", aber den harmlosen lustigen Natzl hat sie deshalb nie zur Verantwortung gezogen.

Den Ignatz soll nie jemand trotzig oder zornig gesehen haben, mit jedermann war er gemütlich und verträglich, die Alplbauern sagten viel später noch, einen besseren Nachbar kann sich kein Mensch wünschen, als es der Natzl gewesen ist. Weitum bekannt war er als Kinderfreund und wo ihm auf Wegen und Stegen ein Kind begegnete, da tat er sein rotes Lederbeutelchen auf und schenkte ihm einen Kreuzer. Auch selbst war er mit Kindern reich gesegnet, sieben Söhne, Lorenz, Franziskus, Sebastian, Thomas, Anton, Jakob, noch einmal Franziskus, zwei Töchter, Margareta und Katharina, wurden ihm rasch nacheinander geboren; mehrere starben in früher Kindheit, die übrigen wuchsen auf unter den strengen Züchten der Mutter Magdalena. Der Ignatz hatte sich aber, wahrscheinlich aus Ursache seiner Leutseligkeit, einen großen Fehler angelebt. Er saß gerne in den Wirtshäusern. Wenn er auch nicht viel trank, so trank er doch wenig, wenn er auch nicht

---

[7] In späteren Kapiteln, wo überhaupt manches mit kleinen Umschreibungen und im poetischen Röcklein dargestellt werden wollte, ist die Magdalena „das Heidemädchen" genannt worden. D. Verf.

um Hohes Karten spielte, so spielte er doch um Geringes, wenn er auch nicht schweren Tabak rauchte, so rauchte er doch leichten, und wenn er auch nicht Schulden machte, so war sein kirschroter Geldbeutel zum mindesten immer um einiges dünner. Die Woche über arbeitete er fleißig, des Sonntags aber, wenn er in die Kirche ging, da kam er nie zum Mittagessen nach Hause, wie es sonst der Brauch, da setzte er sich in ein Wirtshaus, ließ sich's wohl geschehen, jodelte ein wenig, spielte ein wenig, war stets heiter, und erst wenn es finster wurde, ging er den weiten Weg ruhig nach Hause.

Seine Magdalena muss ein scharfes Weib gewesen sein. So spät er auch kommen mochte, immer hat sie ihn wachend und gerüstet erwartet. Das soll dann stets ein Wetter gewesen sein, dass das ganze Haus gebebt hat, gebebt mitsamt den Kindern, die es nicht begreifen konnten, wie die Mutter wegen seines Nachtheimkommens so herb sein konnte, da er ja doch heimgekommen war. Er soll die heftigsten Vorwürfe ruhig und schweigend über sich ergehen lassen und nur immer die Kinder beschwichtigt haben, die sie durch ihr Lärmen aus dem Schlaf geschreckt hat.

Manchmal nahm er auch den einen oder den andern seiner Knaben mit in die Kirche, was den Kleinen allemal ein Festtag war. Nur der Knabe Lorenz, so lieb er sonst seinen Vater hatte, wollte bald nicht mitgehen, denn der bekam Heimweh, wenn er den ganzen Sonntagnachmittag neben ihm im Wirtshaus sitzen musste.

Der Knabe blieb also im Schachen[8] hinter dem Haus stehen, bis der Vater nachkommen würde. Die Schatten der Schachenbäume wurden länger und vergingen endlich, ein Gewitter stieg auf und ging nieder, vom Riegelbauernwald war es manchmal wie das Geheul eines wilden Hundes, der Knabe stand im Schachen und wartete auf den Vater. Der Vater begleitete aber an diesem Tag seinen Nachbar und Gevatter[9] Grabler bis zu seinem Haus, kam daher auf einem anderen Weg heim und konnte die Frage Magdalenas nach dem Knaben Lorenz nicht beantworten. Der Lorenz war im Wirtshaus ja längst vor ihm heimgegangen und war jetzt nicht da. Der Schreck des Ignatz war so groß, dass er zur Stunde ein heiliges Fürnehmen[10] tat, wenn der Knabe glücklich wiedergefunden

---

[8] Name eines Waldstücks
[9] Vetter
[10] Versprechen ablegte

werde, so betrete er sein Lebtag kein Wirtshaus mehr, außer es sei auf einer Wallfahrt oder sonst auf einer Reise, oder es sei bei seiner goldenen Hochzeit mit der Eheliebsten Magdalena.

Bei der Eheliebsten Magdalena würde zu solcher Stunde diese Wendung nicht viel gefruchtet haben, wenn der Knabe nicht jetzt zur Tür hereingegangen wäre.

Das Gelöbnis soll der Ignatz leidlich gehalten haben, obwohl durch einen seltsamen Zufall eine neue Versuchung herantrat, mit einem guten Krug sich manchmal gütlich zu tun.

Eines Tages, als sein Kind Jakob gestorben war, und als er, um beim fernen Pfarramt die Leiche anzeigen zu gehen, aus seinem Gewandkasten ein frisches Leinenhemd herausnehmen wollte, wie solche von seiner Mutter noch eigenhändig gesponnen und genäht im Vorrat waren, fiel es ihm auf, dass der Kasten einen so dicken Sohlboden hatte. Durch Klopfen kam er darauf, dass dieser Boden hohl war, durch Umhertasten bemerkte er an der inneren Ecke ein Schnürchen. Er zog an und da hob sich ganz leicht ein Deckel und ließ ihn hineinsehen auf sieben vollgepfropfte Säcklein, die zwischen dem Doppelboden verborgen gewesen waren. Aus alten Hosen getrennte Säcke waren es, mit Schuhriemen zugebunden, und ihr Inhalt Silbergeld, lauteres Silbergeld.

Der Ignatz erzählte von diesem Fund seinem Weib und seinen Brüdern. Während in der Stube noch die Leiche lag, setzten sie sich auf dem Küchenherd zusammen und untersuchten das Geld; es war keine landläufige Münze darunter, lauter alte „Taler", manche ziemlich unregelmäßig, fast eckig in der Form, mit fremdartiger Prägung, teils abgegriffen und schwarz, aber von so hellem Klange, dass die Ohren gellten.

Nun rieten sie hin und her, von wem wohl der Schatz stammen konnte, und da fiel es dem Ignatz ein, dass er von ihrem Großvater, dem Anderl in Kluppenegg, herrühren dürfte, der als reich bekannt gewesen, von dem aber nach seinem Tod kein Bargeld gefunden worden war. Die Brüder beschlossen also, das Silbergeld unter sich zu teilen. Jeder soll an die siebzig Gulden bekommen haben, der Ignatz um einen Teil mehr, und das war zum Finderlohn. Weiter hatten sie keinem Menschen von dem Fund gesagt, sollen aber ihre liebe Not gehabt haben mit einzelnen der alten, unbekannten Münzen, um sie an den Mann zu bringen. Der Betrag war für die damalige Zeit ein bedeutender, doch keinem der „Kluppeneggerbuben" hatte man es angemerkt, dass sie einen Reichtum besaßen. Der Ignatz mag zu Ehren der alten Schimmeln[11] wohl einmal einen Krug getrunken haben, ohne dass die Magdalena erheblichen Einspruch tat, im Ganzen mied er die Wirtshäuser. Vorübergehen konnte er zwar an keinem, und so blieb er ihnen fern, indem er an Sonn- und Feiertagen nur selten in die Kirche ging, sondern seinen Rosenkranz zu Hause betete und dann vor dem Haus seine Jodler sang über die grünen Höhen, sodass die Magdalena erst eine Freude hatte an ihrem braven und lustigen Mann.

Da kam jene Kirchweih zu Fischbach. Dieser Ort ist von Alpl durch den Gebirgszug der Fischbacher Alpen getrennt. Aber man ging an Festtagen gern über dieses waldige Gebirge, weil es in Fischbach sehr lustige und kecke Leute gab, weil in den dortigen Wirtshäusern damals noch keine ständige Polizei war, wie etwa im Mürztal, und weil es daher dort sehr ungezwungen herging. Besonders die Fischbacher Herbstkirchweih war ringsum berüchtigt, und wenn irgendwo Bauernburschen miteinander einen unausgetragenen Händel hatten, so stellten sie sich bei der Kirchweih ein, wo es dann allemal zu einem blutigen Raufen kam. Ignatz' Bruder Baldhauser war dem Raufen nicht abgeneigt. Manchmal, wenn er des Morgens die damals übliche, schön geformte und mit weißen Nähten gezierte Lederscheide mit Pfeifenstierer[12], Gabel und dem großen Messer in den Hosensack schob, soll er gesagt haben: man weiß nicht, wozu man's brauchen kann. Bei den Weibsbildern scheint der Baldhauser auch nicht blöd gewesen zu sein, denn er wählte sich allemal eine solche aus, die auch anderen Burschen gefiel, und so kam es vor, dass das Recht des Stärkeren entschied. Der Baldhauser war ein mehr kleiner, untersetzter Mann, sonst sehr bedächtig und langsam in seinen Bewegungen, beim Ringen aber der flinkeste und abgefeimteste, der seinen Gegner fast allemal so bettete, wie er nicht gebettet sein wollte. Wer es also mit dem „Hausl" zu tun hatte, der trachtete erstens ihm in Abwesenheit seiner Brüder beizukommen, was schon leicht war, da die meisten derselben in eine fremde Gegend fortgeheiratet hatten. Trotzdem pflegte ein

---

[11] hier: Silbermünzen
[12] Pfeifenwerkzeug

Gegner des Baldhauser sich um Genossen umzuschauen, und wenn ihrer drei oder vier gegen ihn waren, da geschah es wohl manchmal, aber durchaus nicht immer, dass er wesentliche Merkmale heimbrachte, worauf seine Schwägerin Magdalena freilich allemal die Bemerkung tat: „Alle zwei Füße hätten sie dir abschlagen sollen, das wär gesund für dich, du Raufbär!" Solcher Meinung war der Baldhauser zwar nicht.

Da kam nun wieder einmal die Fischbacher Herbstkirchweih, und er hatte wieder einmal eine Liebste, die Heidenbauerdirn, auf welche das Eigentumsrecht aber der Grabenbauer gelegt haben wollte. Dem Grabenbauer hatte er schon früher einmal Post geschickt: „Du! Wenn du noch länger gesunde Knochen haben willst, so lass die Dirn!", und trotzdem hörte er nun, der Grabenbauer führe dieselbe zur Kirchweih, habe aber gleichzeitig auch etliche Kameraden bestellt. Da wusste er freilich, dass zwischen ihm und den Grabenbauernleuten der Friede gebrochen war und was er zu tun hatte bei dieser Kirchweih zu Fischbach. Sein Bruder, der Ignatz, wusste nichts davon, der Baldhauser sagte ihm auch nichts, lud ihn nur ein, mit ihm über das Gebirge zu gehen nach Fischbach zu dem lustigen Fest, wo getanzt und gesungen würde über die Maßen. Der Ignatz fand sich gern bereit und wollte auch seinen Knaben Lorenz mitnehmen. Dieser war von Natur aus zart und beschaulich veranlagt; wo es lärmende Leute gab, da war er nicht gern; die Wirtshäuser waren ihm ja ein Graus, und da hatte er gehört, auf Kirchweihen gäbe es noch mehr Wirtshäuser als sonst wo; also bliebe er lieber daheim. Seine Mutter rief: „Der Junge ist gescheiter wie der Alte und weiß, dass Kinder nicht auf Kirchweihen taugen. Würdest auch du daheimbleiben, Natzl, würd's dir morgen gewiss nicht leid tun."

Der Ignatz zog aber sein schönes Gewand an und ging mit seinem Bruder Baldhauser nach Fischbach. Als sie hinkamen, war der Marktplatz schon voller Buden, Leute und Gesurre; Leutedunst, Tabakrauch, Metgeruch, alles durcheinander, aus den Wirtshäusern fröhlicher Lärm, und der Baldhauser wollte gleich zum Bauernhofwirt hinein. Der Ignatz sagte, sie täten zuerst doch lieber ein bissl in die Kirche schauen, weil man gerade zum Hochamt läute; und nachher standen sie eine Stunde lang eingekeilt in der Menge, und der Baldhauser war sehr ungeduldig und dachte nach, wie er mit dem Grabenbauer zusammenkommen würde.

Nach dem Gottesdienst kauften sie auf dem Markt Schuhnägel, Pfeifenzubehör mit Tabak, und der Ignatz weißbestriemte[13] Lebzeltherzen für die Kinder daheim und ein großes Lebkuchenstück mit Mandeln gefüllt für seine Magdalena. Das band er in ein blaues Sacktuch zusammen und dann gingen sie gleich zum Neuwirt. Dort waren lauter lustige Leute und der Ignatz fing bald an zu singen. Dem Baldhauser ließ es aber keine Ruhe, er meinte, auch den übrigen Wirten müsse man ein Seidel[14] abkaufen, sonst könnte es sie verdrießen, und sie gingen nachher zum Tafernwirt und zum Krammerwirt und zu anderen. Aber nirgends traf er den Grabenbauer und die Heidenbauerndirn. Beim Krammerwirt war es ihm vorgekommen, als huschten sie zur hinteren Tür hinaus, während er mit seinem Bruder zur vorderen hineinging.

Am Nachmittag wurde es in einzelnen Wirtshäusern schon unheimlich laut, und aus dem wirren Geschrei gellte manchmal ein rohes Fluchwort auf. Vor dem Bauernhofer Wirtshaus balgten sich ein halb Dutzend betrunkener Burschen auf der Gasse, mit Fensterrahmen hieben sie aufeinander los, die sie drinnen ausgebrochen hatten. Beim Krammerwirt soll zwischen Holzknechten und Schustergesellen ein solches Schlagen losgegangen sein, dass das Blut zu den Türstufen herabtröpfelte. Solange noch gesungen worden, hatte der Ignatz frisch und klingend mitgetan, hatte zu zweien oder dreien den Arm um den Nacken des anderen gelegt und den Kameraden froh in die Augen schauend sinnige oder kecke Lieder angestimmt. Als es nun überall ins Stänkern[15] und Schimpfen und Schreien und Raufen ausartete, wollte er heimgehen. Da es gegen Abend war und der Baldhauser seinen Grabenbauer immer noch nicht gefunden hatte, sagte er zum Bruder: „Das ist eine lausige Kirchweih!" und machte sich missmutig auf den Heimweg. Der Ignatz ging fröhlich mit ihm.

Nach einer Stunde kamen sie hinauf zu den Almhöhen, wo die Halterhütte stand. Der Weg ging hier oben glatt und eben durch jungen, dichter Lärchenwald, es wurde schon dunkel.

„Da gibt's auch noch Leute", sagte der Ignatz plötzlich, denn auf einem Rasenplatz saßen etliche Männer und ein Weibsbild. Es

---

[13] mit Streifen verziert
[14] 0,3 l Glas
[15] Pöbeln

waren ja seine zwei Schwäger, der Grabenbauer und dessen Bruder, der Mirtl, und es war ein Riegelbauernknecht und der Holzknecht Kaspar; das Weibsbild war die Heidenbauerndirn.

Der Baldhauser stand einen Augenblick still und stutzte. Dann trat er vor die Dirn und sagte: „Was machst denn du da? Du gehörst da nicht her!"

„Hausl, wenn's dir nicht recht ist!" versetzte der Grabenbauer fast leise, ballte die Fäuste und erhob sich.

„Mit so Wegelagererlumpen nehm ich's auf", sagte der Baldhauser trotzig.

„Lass sie gehen, Hausl", mahnte der Ignatz und suchte den Bruder mit fortzuzerren. Das war schon zu spät, sie gerieten zusammen; zuerst ihrer zwei, der Grabenbauer und der Mirtl waren über den Baldhauser hergefallen; als dieser aber den einen arg nach rückwärts bog, dem andern ein Bein schlug, sprangen auch die beiden anderen bei. Als der Ignatz sah, dass vier starke Männer über seinen Bruder her waren, da griff er auch zu. Die Dirn kreischte und rief alle Heiligen an. Wortlos rangen die Männer in einem Knäuel, sie schnaubten, unter ihren Füßen dröhnte der Boden. Der Grabenbauer hatte die Finger der einen Hand an Baldhausers Kehle gesetzt, mit der anderen wollte er sein Messer ziehen; in dem Augenblick flog er von Ignatz geschleudert auf den Rasen hin. Fast gleichzeitig auch der Ignatz, und jetzt sprang ihm der Mirtl mit beiden Füßen auf die Brust. Da der Ignatz unbeweglich liegen blieb, so stieß der Mirtel einen grausigen Fluch aus und versetzte ihm mit schwerem Stiefel noch einen heftigen Fußtritt auf das krachende Brustblatt. – Der Baldhauser riss sich los, fasste die Dirn und raste mit ihr davon.

Weit unten in der Köhlerhütte verbarg er sie und verbot ihr, einen Laut zu tun; er schaute zum Fenster hinaus, wie der Holzknecht Kaspar und der Riegelbauernknecht und endlich auch der Mirtl mit dem Grabenbauer vorbeigingen. Sein Bruder Ignatz aber kam nicht. Als er auf diesen vergebens gewartet hatte, ließ er das Weibsbild im Stich und ging den Weg zurück hinauf bis zur Höhe. Es war schon Nacht. Der Ignatz saß auf einem Baumstück.

„Was hast denn, dass du nicht nachkommst?" fragte ihn der Baldhauser.

„Der Mirtl hat mich getreten!" antwortete der Ignatz, sonst sagte er nichts.

„Kannst nicht gehen, Bruder? Komm, ich werde dich führen."

Der Ignatz deutete mit der Hand, der Baldhauser solle nur seines Weges gehen, er werde schon nachkommen.

Das tat der Baldhauser freilich nicht, er blieb bei dem Bruder, er suchte eine Quelle und brachte im Hut Wasser, den Verletzten zu laben. Dann stand der Ignatz auf, stützte sich an den Baldhauser, und sie fingen an zu gehen.

Oft musste er rasten, und da sprach er einmal zum Baldhauser: „Bruder, daheim wollen wir nichts sagen davon, dass wir's mit den Schwägern gehabt haben. Es ist eine Schande."

Um Mitternacht erst sollen sie nach Hause gekommen sein, und der Baldhauser erschrak fast zu Tode, als er nun beim Kienspanlicht sah, wie blass der Ignatz war, wie matt und stier sein Auge, und wie an den Mundwinkeln Blutkrusten klebten. Er gab ihm wieder Wasser zu trinken und suchte in dem Küchenkastl nach einem Balsam. – Der Magdalena fiel es schon auf, was sie denn in der Küche herumzutun hatten, sie eilte hinaus und erfuhr es nun, gerauft wäre worden und den Natzl hätte es ein bissl getroffen, aber die anderen hätten auch ihr Teil bekommen!

Als die Magdalena ihren Mann ansah, wie er halb auf die Bank hingesunken dalehnte, sagte sie scheinbar sehr ruhig: „Na, der hat genug."

Mit keinem Wort hatte sie gefragt, wie das gekommen war, sie ahnte es gleich, die Ursache wäre der Schwager, und bevor sie den Verletzten zu Bett brachte, hielt sie Gericht über den Baldhauser. Eine solche Wucht der wildesten Vorwürfe soll in dem Haus nicht gehört worden sein, als die Magdalena jetzt dem Schwager Baldhauser machte, der ihren Mann mit auf die Kirchweih gelockt, um ihn dort von Raufgesellen erschlagen zu lassen. Zuerst hatte der Baldhauser sich verteidigen wollen, sich rechtfertigen und wehren, aber ihre Zornes- und Gefühlsausbrüche wurden so gewaltig, dass er schwieg und anfing zu grölen. Die Kinder waren aufgewacht und jammerten, der Kettenhund winselte, die Hühner flatterten von ihren Stangen und gackerten, das Gesinde war herbeigekommen und umstand erschrocken die Gruppe, wie die Bäurin Magdalena rasend vor Wut und Schmerz ihr Gewand zerriss und die Fetzen hinschleuderte auf den Baldhauser, der wimmernd vor ihr auf den Knien lag.

Als endlich in ihrem Gemüt die Erschöpfung und Dumpfheit eingetreten war, wandte sie sich an den Ignatz, der in völliger Ohnmacht da lag, brachte ihn auf seine Liegestatt, flößte ihm warme Milch ein und saß bei ihm die ganze Nacht, die Hände auf dem Schoß gefaltet. Als die Morgenröte zu cem Fenster hereinkam und die Ofenmauer matt anglühte, schlug der Ignatz einmal die Augen auf und blickte um sich. Die Magdalena legte ihre Hand auf seine feuchte Stirn und sagte mit einem Ton unendlicher Milde: „Ist dir besser, mein Natz?"

Er tastete nach ihrer Hand: „Es wird schon wieder gut, Magdalena, es wird schon wieder gut."

Der Baldhauser hat noch in derselben Nacht seine Sachen zusammengepackt und ist fortgegangen, höher hinauf ins Gebirge zu den Holzknechten.

Und nun sind die stillen, betrübten Tage gekommen. Allerlei Hausmittel hatten sie angewendet, der Kranke musste Gemswurzeln[16] kauen, Hundsfett essen, sich „ziehende Pflaster" auf die Brust legen lassen und sonst allerlei. Er saß wohl in der Stube auf der Ofenbank oder er ging draußen im Hof langsam umher, um sich immer wieder irgendwo niederzusetzen. Bei den Kindern war er gerne, sah ihnen zu bei ihren Spielen mit Steinchen und Fichtenzapfen, redete aber wenig mit ihnen, kam allemal bald nur so ins dumpfe Hinschauen und Hinträumen. Einen schweren Atem hatte er und musste viel husten. Manchmal kam Blut aus der Brust, aber nur in wenigen Tropfen.

So währte es mehrere Monate. Eines Sonntags am Nachmittag, als der Ignatz neben dem warmen Ofen saß und doch fröstelte, kam die Magdalena herein und berichtete, dass ihr Bruder, der Grabenbauer-Mirtl, in der Küche draußen sei und die einfältige Frage getan habe, ob er hereingehen dürfe. Sie habe ihm geantwortet, das stehe doch jedem Bekannten frei, geschweige erst einem Schwager. Der Mirtl habe aber gebeten, sie möchte doch anfragen beim Natz, ob er auf ein Wort zu ihm hereinkommen dürfe.

„Ich weiß es wohl, warum er fragt", entgegnete der Ignatz; die Magdalena konnte es aber nicht wissen, weil es ihr nicht gesagt worden war, dass gerade der Mirtl ihn so schwer verletzt hatte.

„Er kann schon hereinkommen", antwortete der Ignatz nun

---

[16] Arnika

leiser und kurzatmig, „und du musst so gut sein und noch ein paar Scheiter in den Ofen stecken." Denn er wollte sie draußen beschäftigen, während der Mirtl bei ihm in der Stube war.

Dieser trat dann ein, schaute beklommen in der dumpfigen[17] Stube umher und sah ihn nicht gleich. Erst als er aus dem Ofenwinkel ein Husten hörte, trat er dorthin, blieb stehen vor dem Kranken und konnte kein Wort sagen. Der Ignatz sagte auch nichts, sondern hob langsam seine rechte Hand und hielt sie ihm hin. Unsicher reichte der Mirtl die seine und sprach: „Natz! Keine ruhige Stunde hab ich mehr gehabt seit der Kirchweih. Dass mir solches hat müssen aufgesetzt[18] sein. Wo gerade du mir alleweil der liebste Kamerad bist gewesen…" Er wandte sich ab und ging einige Schritte gegen ein Fenster, als wolle er hinausschauen. Und mit dem Ärmel fuhr er sich übers Gesicht.

„Mirtl!" sagte der Ignatz leise. „geh her. Geh her zu mir. – Dir ist's aufgesetzt gewesen, und mir ist's aufgesetzt gewesen. Wer kann dafür. Braucht's auch weiter niemand zu wissen, wie es hergegangen ist. Es wird ja schon besser. Und will auch einmal zum Arzt schicken, dass er ein wenig nachhilft."

„Und du hast mir nichts für ungut[19], Natzl?"

Der Ignatz machte mit der flachen Hand eine Bewegung in die Luft hinein, gleichsam als wollte er sagen: Lass es gut sein, Mirtel. Ein sehr heftiger Hustenanfall verhinderte ein weiteres Gespräch. Als der Mirtl wieder in die Küche hinaustrat, sagte er zu der Magdalena: „'s ist wohl ein herzensguter Mensch!"

„Wie findest ihn denn, Bruder?"

Ein Trostwort wollte er sagen, es verschlug ihm die Rede.

„Mir gefällt er halt wohl gar nicht", meinte sie, „und morgen will ich doch endlich zum Bader[20] schicken nach Strallegg. Sie sagen, für die auszehrende Krankheit wäre der so gut."

Der Mirtl ist davongegangen – halb verloren. Dass es so sollte stehen mit dem Ignatz, hätte er nicht gedacht. Die Magdalena hat ihm von der Tür aus eine Weile nachgeschaut. Das war ihr nicht recht vorgekommen jetzt, mit dem Mirtl!

Am nächsten Frühmorgen ging vom Kluppeneggerhof ein

---

[17] feucht, modrig

[18] bestimmt

[19] nachtragen

[20] Arzt

alter Knecht nach Strallegg. Er hatte Geld mitbekommen für den Arzt, gedachte es aber dem Bauer zu ersparen. Wenn er sagt, dass der reiche Bauer krank ist, da wird sich der Arzt hoch lohnen lassen. Als der alte Knecht daher vor dem Arzt stand, tat er sehr erschöpft und kurzatmig und hüstelte und sagte, ihn hätt's arg auf der Brust. Ein böser Stier habe ihn gestoßen vor drei Monaten, und seither nehme er an Fleisch und Kräften ab, er glaube, die Auszehrung werde es sein, er sei ein armer Dienstbote und würde halt gar schön bitten um einen guten Rat.

Der Arzt sagte: „Musst halt recht viel Milch trinken und immer einmal ein Stückl Fleisch essen, und wenn dich der Husten anpackt, so trink eine Schale Kramperlmoostee[21], aber so heiß, als du's leiden kannst."

Was der Rat täte kosten?

Der koste nichts. Also eilte der Knecht heim, und sein erstes Wort war, er habe dem Ignatz das Geld erspart und doch einen guten Rat mitgebracht. Fleisch und Milch. Und gegen den Husten Kramperlmoostee trinken, so heiß, wie er's vertragen kann.

Eine Nachbarin hatte den Tee vorrätig, er war zwar sehr bitter zu trinken, aber er wärmte Brust und Magen, und der Ignatz schöpfte aus diesem Mittel neue Hoffnung.

Zu Anfang des Advents war's, wenige Wochen vor Weihnachten, als der Husten mit erneuter Heftigkeit auftrat. Ließ der Ignatz sich wieder einmal den heißen Tee richten, trank ihn rasch aus und wankte dann ins Freie. Nach einer kleinen Weile kam er wieder in die Stube zurück, ganz verändert und taumelnd. „Ich weiß nicht", sagte er noch, „ich muss zu heiß getrunken haben …" Und sank auch schon zu Boden.

Die Weibsleute, die beim Spinnen waren, sprangen herbei und riefen, was denn das wäre! Er antwortete nicht mehr. Sie legten ihn ins Bett und fingen an zu beten, und die Magdalena wurde nicht müde, ihn mit allen Mitteln, die ihr einfielen, wieder zum Bewusstsein zu erwecken. Er holte wohl Atem, manchmal stöhnte er, machte die Augen auf, aber man wusste nicht, ob er jemanden erkannte. Der Lorenz, damals vierzehn Jahre alt, ging noch am stöbernden[22] Abend fort nach Sankt Kath-ein, um den Geistlichen

---

[21] Isländisches Moos
[22] bei Schneegestöber

zu holen. Er soll, wie später erzählt wurde, den fast drei Stunden langen Weg hin und her in nicht ganz zwei Stunden zurückgelegt haben. Er kam ganz unmenschlich schnaufend zurück, aber ohne Priester. Der Pfarrer von Kathrein war selber krank. So müsse eilends jemand nach Krieglach. Wieder erbot sich der Lorenz, und so schnell wie er bringe den Geistlichen keiner.

Krieglach ist weit, erst gegen Morgen kam der Junge zurück, wieder allein und ganz trostlos; der Pfarrer sei nach Graz gereist und der Kaplan auf einem anderen Versehgang in die hintere Massing, von welchem er erst mittags zurückkehren könne. Dann komme er nach.

„So kann er auch das nicht haben!" jammerten alle. Es hätte sich ja doch nur mehr um die Letzte Ölung gehandelt. Der Lorenz fand seinen Vater bewegungslos daliegen und schlummern. Das sei das Allerbeste, meinte die Mutter, und er, der Knabe, solle sich auch niederlegen, sonst werde er ebenfalls krank. Denn die Aufregung, die in dem Jungen war um den Vater, konnte ihr nicht verborgen bleiben. Er legte sich in die Küche hin auf die Bank und schlief ein paar Stunden fest. Eine eigentümliche Unruhe, die sich im Haus erhoben hatte, weckte ihn auf. Hastig, aber leise auftretend, einen Augenblick unter Flüstern beieinander stehen bleibend und dann weiterhuschend, waberten[23] die Leute türaus und -ein, und in der Stube war ein Murmeln, als ob jemand bete. Der Lorenz sprang auf und fragte nach dem Vater.

„Er ist ein wenig schlechter geworden", berichtete die Magd, setzte aber, da der Junge vor Schreck aufstöhnte, bei: „Wird doch wohl wieder besser werden. Er ist gleichwohl noch so jung."

Als der Lorenz in die Stube kam, knieten sie betend und schluchzend um das Bett herum; der Vater lag ruhig da, zwischen den aneinandergelegten Händen stand eine rote, brennende Kerze.

Es war schon vorbei.

Ignatz Roßegger ist nur neununddreißig Jahre und zehn Monate alt geworden. Er starb am 4. Dezember 1829. Die Trauer um ihn war eine sehr große und allgemeine. Während er aufgebahrt lag, konnte das Haus die Leute kaum fassen, die zu der

---

[23] hin- und hergehen

nächtlichen Leichenwache erschienen waren. Auch alle Freunde und Verwandten waren da, vor allem der Baldhauser, der Grabenbauer und der Mirtl. Sie standen zusammen und gelobten, die Witwe Magdalena, auf der nun so große Sorgen lagen, nicht zu verlassen. Die Kinder lagen verweint, im Schlaf noch schluchzend, in ihren Betten oder standen und lehnten unter den Leuten so herum, wie arme Waise. Der Knabe Lorenz stand fast immer auf einem Fleck neben der Stubentür und sah auf alles, was jetzt war und im Haus vorging, mit großen Augen hin. Er konnte es nicht fassen, was geschehen war, und später in seinem Leben tat er noch oft den Ausspruch: „Dazumal, wie mein Vater gestorben, das ist mein härtester Tag gewesen."

Die Magdalena trug zur Zeit ein Kind unter dem Herzen. In allem Gewirr stand allein sie aufrecht und ruhig, fast finster da. Sie redete nur mit Wenigen wenige Worte; wenn man weinend sie tröstete, so schwieg sie, hatte ein ganz trockenes Auge und ihr Antlitz zeigte einen herben Ausdruck. Sie versorgte das Haus und tat ihre Verrichtungen wie jeden Tag; manchmal hielt sie inne, als wäre ihr Leib erstarrt, und schaute vor sich hin. Dann arbeitete sie wieder. Als in der letzten Nacht der Leichenwache das Totenmahl aufgetragen wurde und die Leute in der Stube halblaut murmelnd bei den Tischen zusammensaßen unter dem matten Schein eines Talglichtes; als zur offenen Stubentür vom Vorhaus, wo die Bahre stand, das Öllicht hereinflimmerte; als drei Männer die Leiche hoben und in den Sarg aus weißem Fichtenholz legten; als Magdalena hin und her ging, um noch das Letzte für den Kirchgang zum Begräbnis zu ordnen, blieb sie auf einmal vor dem Sarg stehen, schaute auf den Toten und rief mit heller Stimme: „Einzig das möchte ich wissen, wer ihn erschlagen hat auf der Fischbacheralm!"

Den Leuten ging der Ruf durch Mark und Bein. Der Mirtl legte seinen Löffel weg. – Gar bange still war's in der Stube, allmählich begannen aber einige zu flüstern: „Es werden heute wohl welche da sein, die davon wissen." Weiter sagten sie nichts.

Als der Ignatz begraben war, ging die Magdalena heim auf den einsamen Hof und fing mit ihren Kindern und mit ihrem Gesinde an zu wirtschaften. Ihre Verwandten boten ihr manche Zuhilfe und manchen Rat; wenn aber ihre Brüder kamen, der Grabenbauer, der Mirtl, oder der Schwager Baldhauser, da sagte sie kurz und herb: „Ich brauche nichts."

Vierzehn Jahre lang hatte sie fest und zielbewusst die Herrschaft geführt auf dem Kluppeneggerhof, sie war streng, arbeitsam, sparsam und hob das Waldbauernhaus zu neuer Wohlhabenheit. Endlich war der Lorenz, der Älteste, so weit, dass er sich wagen wollte, der alternden Mutter die Last abzunehmen. Eine junge Dienstmagd war da, deren Eltern mit Kohlenbrennen den dürftigen Unterhalt erwarben. Das Dirndl hieß Maria.

Diese Dienstmagd fing der Lorenz sachte an, gern zu haben, und es soll in diesem Buch erzählt werden, wie er um sie geworben hat. Die Leute redeten hin und her, dass sie so arm sei, von so geringem Stamm[24], dass er vermöge seiner Person, seines Hofes und seines Ansehens wohl eine andere Wahl hätte treffen können. Die Mutter Magdalena sagte nichts als das: Wenn sie voneinander nicht lassen können, so müsse geheiratet werden! – Und so hat der Lorenz Roßegger die Maria geheiratet. Das war im Jahre 1842, dreizehn Monate vor meiner Geburt.

Der Lorenz war ein Mensch ohne Anmaßung und Hochmut, doch in wirtschaftlichen Dingen hatte er seinen eigenen Kopf. Von der sanftmütigen Maria steht zu vermuten, dass sie der Schwiegermutter die Herrschaft im Hause nicht streitig gemacht hat. Gegen ihre Enkel, deren zwei sie erlebt hat, war die Magdalena voll von einer Zärtlichkeit, der man sie kaum für fähig gehalten hätte.

Nur einmal habe ich das kleine, schon tiefgebückte Weiblein herb und unheimlich gesehen. Das war wenige Monate vor ihrem im Jahre 1847 erfolgten Tod. Ich stand mit ihr vor dem Haus an der alten Torsäule, die an ihrem Scheitel schon rissig und zackig war, und an welcher die weißgrauen Flechten wucherten. Da ging am nahen Weg ein Mann mit grauen Bartstoppeln, in Kniehose und mit einer schwarzen Zipfelmütze vorbei. Ich erkannte ihn und rief: „Ahnl[25], Ahnl, der Vetter Mirtl!" Da gab die Großmutter mir mit der Faust einen Stoß, dass ich hintaumelte, und sprach klingend hart: „Still sei! Der Mensch geht dich nichts an!"

Diese Worte habe ich erst verstanden viele Jahre später, als ich selber schon reich an Jahren und Erfahrungen war, und als mein Vater Lorenz mir eines Tages, unter einem Eschenbaum sitzend, die Geschichte von meinem Großvater Ignatz erzählt hatte.

---

[24] Abstammung
[25] Großmutter

# Ums Vaterwort

Ich habe im Grunde keine schlechte Erziehung genossen, sondern vielmehr gar keine. War ich ein braves, frommes, folgsames, anstelliges Kind, so lobten mich meine Eltern; war ich das Gegenteil, so zankten sie mich derb aus. Das Lob tat mir fast allezeit wohl, und ich hatte dabei das Gefühl, als ob ich in die Länge ginge, weil manche Kinder wie Pflanzen sind, die nur bei Sonnenschein schlank wachsen.

Nun war mein Vater aber der Ansicht, dass ich nicht allein in die Länge, sondern auch in die Breite wachsen müsse, und dafür sei der Ernst und die Strenge gut.

Meine Mutter hatte nichts als Liebe.

Mein Vater mochte nach derselben Art sein, allein er verstand es nicht, seiner Wärme und Liebe Ausdruck zu geben; bei all seiner Milde hatte der mit Arbeit und Sorgen beladene Mann ein stilles, ernstes Wesen; seinen reichen Humor ließ er vor mir erst später spielen, als er vermuten konnte, dass ich genug Mensch geworden sei, um denselben aufzunehmen. In den Jahren, da ich das erste Dutzend Hosen zerriss, gab er sich nicht gerade viel mit mir ab, außer wenn ich etwas Schlimmes angestellt hatte; in diesem Fall ließ er seine Strenge walten. Seine Strenge und meine Strafe bestand gewöhnlich darin, dass er vor mich hintrat und mir mit schallenden, zornigen Worten meinen Fehler vorhielt und die Strafe andeutete, die ich verdient hätte.

Ich hatte mich beim Ausbruch der Erregung allemal vor den

Vater hingestellt, war mit niederhängenden Armen wie versteinert vor ihm stehengeblieben und hatte ihm während des heftigen Verweises unverwandt in sein zorniges Angesicht geschaut. Ich bereute in meinem Inneren den Fehler stets, ich hatte das deutliche Gefühl der Schuld, aber ich erinnere mich auch an eine andere Empfindung, die mich bei solchen Strafpredigten überkam: es war ein eigenartiges Zittern in mir, ein Reiz- und Lustgefühl, wenn das Donnerwetter so recht auf mich niederging. Es kamen mir die Tränen in die Augen, sie rieselten mir über die Wangen, aber ich stand wie ein Bäumein, schaute den Vater an und hatte ein unerklärliches Wohlgefühl, das in dem Maße wuchs, je länger und je ausdrucksvoller mein Vater vor mir wetterte.

Wenn hierauf Wochen vorbeigingen, ohne dass ich etwas heraufbeschwor, und mein Vater immer gütig und still an mir verüberschritt, begann in mir allmählich wieder der Drang zu erwachen und zu reifen, etwas anzustellen, was den Vater in Wut bringe. Das geschah nicht, um ihn zu ärgern, denn ich hatte ihn überaus lieb; es geschah gewiss nicht aus Bosheit, sondern aus einem anderen Grunde, dessen ich mir damals nicht bewusst war.

Da war es einmal am heiligen Christabend. Der Vater hatte den Sommer zuvor in Mariazell ein schwarzes Kruzifix gekauft, an welchem ein aus Blei gegossener Christus und die aus demselben Material gebildeten Marterwerkzeuge hingen. Dieses Heiligentum war in Verwahrung geblieben bis auf den Christabend, an welchem es mein Vater aus seinem Gewandkasten hervornahm und auf das Hausaltärchen stellte. Ich nahm die Stunde wahr, da meine Eltern und die übrigen Leute noch draußen in den Wirtschaftsgebäuden und in der Küche zu schaffen hatten, um das hohe Fest vorzubereiten. Ich nahm das Kruzifix mit Gefahr meiner geraden Glieder von der Wand, hockte mich damit in den Ofenwinkel und begann es zu zerlegen. Es war mir eine ganz seltsame Lust, als ich mit meinem Taschenfeitel zuerst die Leiter, dann die Zange und den Hammer, danach den Hahn des Petrus und zuletzt den lieben Christus vom Kreuz löste. Die Teile kamen mir nun getrennt viel interessanter vor als früher im Ganzen; doch jetzt, da ich fertig war und die Dinge wieder zusammensetzen wollte, aber nicht konnte, fühlte ich in der Brust eine Hitze aufsteigen, auch meinte ich, es würde mir der Hals zugebunden. Wenn's nur beim Ausschelten bleibt diesmal...? – Zwar sagte ich mir: Das schwarze Kreuz ist jetzt schöner als früher; in der Hohenwanger Kapelle steht auch ein schwarzes Kreuz, wo nichts dran ist, und doch gehen die Leute hin, um zu beten. Und wer braucht zu Weihnachten einen gekreuzigten Herrgott? Da muss er in der Krippe liegen, sagt der Pfarrer. Und das will ich machen.

Ich bog dem bleiernen Christus die Beine krumm und die Arme über die Brust und legte ihn in das Nähkörbchen der Mutter und stellte so meine Krippe auf den Hausaltar, während ich das Kreuz in dem Stroh des Elternbettes verbarg, nicht bedenkend, dass das Körbchen die Kreuzabnahme verraten müsse.

Das Schicksal erfüllte sich bald. Die Mutter bemerkte es zuerst, wie närrisch doch heute der Nähkorb zu den Heiligenbildern hinaufkäme!

„Wem ist denn das Kruzifix da oben im Weg gewesen?" fragte gleichzeitig mein Vater.

Ich stand etwas abseits, und mir war zumute wie einem Durstigen, der jetzt starken Myrrhenwein zu trinken kriegen sollte. Indessen mahnte mich eine absonderliche Beklemmung, jetzt womöglich noch weiter in den Hintergrund zu treten.

Mein Vater ging auf mich zu und fragte fast bescheiden, ob ich nicht wisse, wo das Kreuz hingekommen sei? Da stellte ich mich schon kerzengerade vor ihn hin und schaute ihm ins Gesicht. Er wiederholte seine Frage, ich wies mit der Hand auf das Bettstroh, es kamen die Tränen, aber ich glaube, dass ich keinen Mundwinkel verzogen habe.

Der Vater suchte das Verborgene hervor und war nicht zornig, nur überrascht, als er die Misshandlung des Heiligtums sah. Mein Verlangen nach dem Myrrhenwein steigerte sich. Der Vater stellte das kahle Kruzifix auf den Tisch. „Nun sehe ich wohl", sagte er mit aller Gelassenheit und holte seinen Hut vom Nagel, „nun sehe ich wohl, er muss endlich rechtschaffen gestraft werden. Wenn einmal der Christi Herrgott nicht sicher ist...! Bleib mir in der Stube, Bub!" fuhr er mich finster an und ging dann zur Tür hinaus.

„Spring ihm nach und schau zum Bitten[26]!" rief mir die Mutter zu, „er geht Birkenruten abschneiden."

Ich war wie an den Boden geschmiedet. Grässlich klar sah ich, was nun über mich kommen würde, aber ich war außerstan-

---

[26] bitte ihn um Verzeihung

de, auch nur einen Schritt zur Abwehr zu machen. Die Mutter ging ihrer Arbeit nach, in der abendlich dunklen Stube stand ich allein, und vor mir auf dem Tisch lag das verstümmelte Kruzifix. Heftig erschrak ich vor jedem Geräusch. Im alten Uhrkasten, der dort an der Wand bis zum Fußboden niederging, rasselte das Gewicht der Schwarzwälder Uhr, welche die fünfte Stunde schlug. Endlich hörte ich draußen auch das Schneeabklopfen von den Schuhen, es waren des Vaters Tritte. Als er mit dem Birkenzweig in die Stube trat, war ich verschwunden.

Er ging in die Küche und fragte mit wild herausgestoßener Stimme, wo der Bub sei? Es begann im Haus ein Suchen, in der Stube wurden das Bett und die Winkel und das Gesiedel[27] durchstöbert, in der Nebenkammer, im Oberboden hörte ich sie herumgehen, ich hörte die Befehle, man möge in den Ställen die Futterkrippen und in den Scheunen Heu und Stroh durchforschen, man möge auch in den Schachen hinausgehen und den Buben nur stracks vor den Vater bringen – diesen Christabend solle er sich für sein Lebtag merken! Aber sie kehrten unverrichteter Dinge zurück. Zwei Knechte wurden nun in die Nachbarschaft geschickt, aber meine Mutter rief, wenn ich etwa zu einem Nachbarn über Feld und Wald gegangen sei, so müsse ich ja erfrieren, es seien meine Joppe und mein Hut in der Stube. Das sei doch ein rechtes Elend mit den Kindern.

Sie gingen davon, das Haus wurde fast leer, und in der finsteren Stube sah man nichts mehr als die grauen Vierecke der Fenster. Ich steckte im Uhrkasten und konnte durch die Fugen desselben hervorschauen. Durch das Türchen, welches für das Aufziehen des Uhrwerks angebracht war, hatte ich mich hineingezwängt und innerhalb des Verschlags hinabgelassen, so dass ich nun im Uhrkasten ganz aufrecht stand.

Was ich in diesem Versteck für Angst ausgestanden habe! Dass es kein gutes Ende nehmen konnte, sah ich voraus, und dass die von Stunde zu Stunde wachsende Aufregung das Ende von Stunde zu Stunde gefährlicher machen musste, war mir auch klar. Ich verwünschte den Nähkorb, der mich anfangs verraten hatte, ich verwünschte das Kruzifixlein – meinen Leichtsinn zu verwünschen, darauf vergaß ich. Es gingen Stunden hin, ich blieb in mei-

---

[27] Inventar

nem aufrecht stehenden Sarg, und schon saß mir der Eisenzapfen des Uhrgewichtes auf dem Scheitel, und ich musste mich womöglich niederducken, sollte das Stehenbleiben der Uhr nicht Anlass zum Aufziehen derselben und somit zu meiner Entdeckung geben. Denn endlich waren meine Eltern in die Stube gekommen, hatten Licht gemacht und meinetwegen einen Streit begonnen.

„Ich weiß nirgends mehr zu suchen", hatte mein Vater gesagt und war erschöpft auf einen Stuhl gesunken.

„Wenn er sich im Wald vergangen hat oder unter dem Schnee liegt!" rief die Mutter und erhob ein lautes Weinen.

„Sei still davon!" sagte der Vater, „ich mag's nicht hören."

„Du magst es nicht hören und hast ihn mit deiner Herbheit selber vertrieben."

„Mit diesem Zweig hätte ich ihm kein Bein abgeschlagen", versetzte er und ließ die Birkenrute auf den Tisch niederpfeifen, „Aber jetzt, wenn ich ihn erwisch, schlag ich einen Zaunstecken an ihm entzwei."

„Tu es, tu es – vielleicht tut's ihm nicht mehr weh", sagte die Mutter und setzte das Weinen fort. „Meinst, du hättest deine Kinder nur zum Zornauslassen? Da hat der liebe Herrgott ganz Recht, wenn er sie beizeiten wieder zu sich nimmt! Kinder muss man lieb haben, wenn etwas aus ihnen werden soll."

Hierauf er: „Wer sagt denn, dass ich ihn nicht liebhab? Ins Herz hinein, Gott weiß es! Aber sagen kann ich ihm's nicht. Ihm tut's nicht so weh wie mir, wenn ich ihn strafen muss, das weiß ich!"

„Ich geh noch einmal suchen!" sagte die Mutter.

„Ich will auch nicht dableiben!" sagte er.

„Du musst mir einen warmen Löffel Suppe essen! Es ist Nachtmahlzeit", sagte sie.

„Ich mag jetzt nichts essen! Ich weiß mir keinen andern Rat", sagte der Vater, kniete zum Tisch hin und begann still zu beten.

Die Mutter ging in die Küche, um zur neuen Suche meine warmen Kleider zusammenzutragen für den Fall, dass man mich irgendwo halberfroren finde. In der Stube war es wieder still, und mir im Uhrkasten war's, als müsse mir vor Leid und Pein das Herz brechen. Plötzlich begann mein Vater aus seinem Gebet krampfhaft aufzuschluchzen. Sein Haupt fiel nieder auf den Arm, und die ganze Gestalt bebte.

Ich tat einen lauten Schrei. Nach wenigen Sekunden war ich von Vater und Mutter aus dem Gehäuse befreit, lag zu Füßen des Vaters und umklammerte wimmernd seine Knie.

„Mein Vater, mein Vater!" das waren die einzigen Worte, die ich stammeln konnte. Er langte mit seinen beiden Armen nieder und hob mich auf zu seiner Brust, und mein Haar ward feucht von seinen Zähren[28].

Mir ist in jenem Augenblick die Erkenntnis aufgegangen.

Ich sah, wie abscheulich es sei, diesen Vater zu reizen und zu beleidigen. Aber ich fand nun heraus, warum ich es getan hatte. Aus Sehnsucht, das Vaterantlitz vor mir zu sehen, ihm ins Auge schauen zu können und seine zu mir sprechende Stimme zu hören. Sollte er schon nicht mit mir heiter sein, so wie es andere Leute waren und wie er es damals, von Sorgen belastet, so selten gewesen, so wollte ich wenigstens sein zorniges Auge sehen, sein herbes Wort hören; es durchrieselte mich mit süßer Gewalt, es zog mich zu ihm hin. Es war das Vaterauge, das Vaterwort.

Kein böser Ruf mehr ist in die heilige Christnacht geklungen, und von diesem Tag an ist vieles anders worden. Mein Vater war seiner Liebe zu mir und meiner Anhänglichkeit an ihn innegeworden, und hat mir in Spiel, Arbeit und Erholung wohl viele Stunden sein liebes Angesicht, sein treues Wort geschenkt, ohne dass ich noch einmal nötig gehabt hätte, es mit Bosheit erschleichen zu müssen.

---

[28] Tränen

# Wie das Zicklein starb

Ein andermal drohte die birkene Liesl[29] wieder.

Mein Vater hatte ein schneeweißes Zicklein, mein Vetter Jok hatte einen schneeweißen Kopf. Das Zicklein kaute gern an Halmen oder Erlzweigen; mein Vetter gern an einem kurzen Pfeifchen. Das Zicklein hatten wir, ich und meine noch jüngeren Geschwister, unsäglich lieb; den Vetter Jok auch. So kamen wir auf den Gedanken: wir sollten das Zicklein und den Vetter zusammentun.

Da war's im Heumonat[30], dass ich eines sonnenfreudigen Tages all meine Geschwister hinauslockte auf den Krautacker und daselbst die Frage an sie richtete: „Wer von euch hat einen Hut, der kein Loch hat?"

Sie untersuchten ihre Hüte und Hauben, aber durch alle schien die Sonne und machte im Schatten auf dem Erdboden einen oder ein paar lichte Punkte. Nur Jakoberls Hut war ohne Arg; den nahm ich also in die Hand und sagte: „Der Vetter heißt Jok, und morgen ist der Jakobitag, und jetzt, was geben wir ihm als Bindband[31]? Das weiße Zicklein."

„Das weiße Zicklein gehört dem Vater!" rief das kleine Schwesterchen Plonele, empört über ein so eigenmächtiges Vorhaben.

---

[29] Birkenrute
[30] Juni
[31] Geschenk

„Deswegen ist es ja, dass ich euch den Hut hinhalte", sagte ich.

„Du, Jakoberle, hast gestern dem Knierutsch-Sepp dein Kinigl[32] verkauft; du, Plonele, hast von deinem Göden[33] drei Groschen zum Taufpfennig gekriegt; dir, Mirzele, hat vor zwei Tagen der Vater ein Haltergeld[34] geschenkt. Schaut, ich leg meine ersparten fünf Kreuzer hinein, und wir müssen zusammentun, dass wir dem Vater das Zicklein abkaufen mögen; und das schenken wir morgen dem Vetter. Na, jetzt halt ich schon her!"

Sie schauten eine Weile so drein, dann fingen sie an in ihren Taschen zu suchen. Da sagte das Plonele: „Mein Geld hat die Mutter!" und das Mirzele rief erschrocken: „Das meine weiß ich nicht!" und das Jakoberle starrte auf den Boden und murmelte: „Mein Sack hat ein Loch."

Auf diese Weise war mein Unternehmen gescheitert.

Nichtsdestoweniger haben wir das schneeweiße Zicklein geherzt. Es ging mit den Vorderfüßen an unsere Knie empor und schaute uns mit seinen großen, völlig eckigen Augen schelmisch an, als wollte es uns recht spotten, dass wir alle gemeinsam nicht so viel an Vermögen hatten, um es kaufen zu können. Es kicherte und blökte uns ordentlich aus, und dabei sahen wir die schneeweißen Zähnchen. Es war kaum drei Monate alt und hatte schon einen Bart; und ich und das Jakoberle waren über sieben Jahre hinaus und mussten uns aus grauen Baumflechten einen Bart ankleben, wenn wir einen haben wollten. Und selbst *den* fraß uns das Zicklein vom Gesicht herunter.

Trotzdem hatten wir jedes das Vierfüßchen viel lieber als uns untereinander. Und ich sann auf weitere Mittel, mit dem Tier den Vetter zu beglücken. Als aber mittags der Vater vom Feld heimfuhr, umschwärmten wir ihn alle und zupften an seinen Kleidern.

„Vater", sagte ich, „ist es wahr, dass die Morgenstunde Gold im Munde hat?"

Das war ja sein eigenes Sprichwort, und so antwortete er rasch: „Freilich ist das wahr."

„Vater!" riefen wir nun alle vier zugleich, „wie früh müssen wir alle Tag aufstehen, dass Ihr uns das weiße Zicklein gebt?"

---

[32] Kaninchen
[33] Taufpate
[34] Geld für das Viehhüten

34

Auf diese geschäftliche Wendung schien der Vater nicht gefasst gewesen zu sein. Da er aber von unserem Vorhaben, dem Vetter Jok das Zicklein zuzueignen, hörte, da bedingte er ein halb Stündlein früher aufzustehen jeden Tag und trat uns das liebe Tierchen ab.

Das Zicklein gehörte uns. Wir beschlossen einstimmig, schon am nächsten Morgen noch vor des Vetters Aufstehzeit – und das war viel gesagt – aus dem Nest zu kriechen, das Zicklein mit einem roten Halsband zu versehen und es ans Bett des alten Jok zu führen, ehe dieser noch seinen langen, grauen Pelz, den er Winter und Sommer trug, auf den Leib brachte.

So unser heiliges Vorhaben.

Aber am anderen Tag, als uns die Mutter weckte und wir die Lider aufschlugen, schien uns die Sonne mit solcher Gewalt in die Augen, dass wir dieselben sogleich wieder schließen mussten, bis die Mutter mit ihrem Kopftuch das Fenster verhüllte.

Nun gab es keine Ausflucht mehr. Aber der Vetter war längst schon davon mitsamt dem Pelz. Er hatte die Schafe und die Ziegen auf die Talweide getrieben, wo er sie stets hütete und den ganzen Tag schmunzelnd an seinem Pfeifchen kaute. Und die Tierchen schnappten emsig an den betauten Gräsern und Sträuchern und hüpften und scherzten lustig auf der sonnigen Weide.

Es war auch das Zicklein dabei. Und hat's dem Jok denn niemand gesagt, dass heute sein Namenstag ist? –

Zu jener Zeit, von der ich rede, sind die feuerspeienden Streichhölzer noch nicht erfunden gewesen; dazumal war das liebe Feuer ein rares Ding. Man konnte es nicht so bequem mit im Sack tragen wie heute, ohne sich das Beinkleid[35] zu verbrennen. Es musste mit harten Schlägen aus Steinen herausgetrieben werden; es musste, kaum geboren, mit Zunder gefüttert werden und bedurfte langer Zeit, bis es sich in demselben so weit kräftigte, dass es einen gröberen Köder anbiss und flügge wurde. Das Feuer musste zum Dienst des Menschen jedesmal förmlich erzogen werden. Es war ein mühsames und heikles Stück Arbeit; beim Feuermachen konnte meine sonst so milde Mutter unwirsch werden.

Die Glut, des Abends noch so sorgsam in der Herdgrube verwahrt, war des Morgens zumeist erloschen. Was sich die Mutter

---

[35] Hose

auch mühte, den Funken in der Asche wieder anzublasen – alles vergebens, das Feuer war gestorben über Nacht. Nun ging die Schlägerei mit Stein und Stahl an; und wir Kinder waren oft schon recht hungrig, bevor die Mutter das Feuer zuweg brachte, welches uns die Morgensuppe kochen sollte.

So auch am Morgen an des Vetters Namenstag. Wir hatten draußen in der Küche wohl eine Weile das Pfauchen und Feuerschlagen gehört, dann aber rief die Mutter plötzlich aus: „'s ist gar umsonst! 's ist, wie wenn der böse Feind in die Herdgrube gespuckt hätt. Und der Stein hat keinen Funken Feuer mehr in sich, und der Schwamm ist feucht, und die Leut warten auf die Suppe!" Dann kam sie in die Stube und sagte: „Geh, Peterle, ruck[36], und lauf geschwind zu der Knierutscherin hinüber: Ich würde sie gar schön von Herzen bitten, sie wollte mir ein Haferl[37] Glut schicken von ihrem Herd. Und trag ihr dafür den Brotlaib da mit. Geh, Peterle, ruck, dass wir nachher eine Suppe kriegen!"

Ich hatte meine weiße Leinenhose gleich an, und wie ich war, barfuß, barhaupt, nahm ich den runden, recht gewichtigen Brotlaib unter den Arm und lief gegen das Knierutscherhaus.

„Du Sonnenschein", sagte ich unterwegs, „schäm dich, du kannst nicht einmal ein Süpplein wärmen. Jetzt muss ich zu der Knierutscherin um Feuer gehen. Aber wart nur, wird bald lustig sein auf unserem Herd; die Flammen werden aufhüpfen über das Holz, die Mauer wird rot leuchten, die Töpfe werden brodeln, der Rauch wird unter den Feuerhut hinaussprudeln und den Rauchfang hinauf und wird dich verdecken. Recht hat er, wenn er dich verdeckt, dann essen wir die Suppe und den Sterz im Schatten und den Eierkuchen auch, der heut für den Vetter Jok gebacken wird, und du sollst von allem nichts sehen."

Als ich nach solchem Gespräch mit der Sonne über die Lehne[38] ging, da stach mich ein wenig der Vorwitz. Mein Brotlaib war so kugelrund und fest, als wäre er aus Lärchenholz gedrechselt worden. Man lässt bei mir daheim das Brot gern altbacken werden, es langt auf diese Weise doppelt aus, gleichwohl es zur Essenszeit zuweilen mit Eisenschlegeln zertrümmert werden muss.

---

[36] steh' auf
[37] kleiner Topf
[38] Hang

Aber weil denn mein Laib gar so kugelrund war, wie nicht leicht etwas Runderes mehr zu finden ist, so ließ ich ihn los über die Lehne, lief ihm behände[39] vor und fing ihn wieder auf.

Was für ein herzlich lustiges Spiel das war, und ich hätte gerne alle meine Geschwister herbeigerufen, dass sie es sehen und mitmachen könnten. – Wie ich nun aber so in meiner Freude die Lehne auf und ab hüpfte, spielt mir mein Brotlaib jählings den Streich und huscht mir wie der Wind zwischen den Beinen durch und davon. Er eilt und hüpft hinab, viel schneller wie ein Reh vor dem Jagdhund – er fährt über den Hang, setzt hoch über den Rain in die Talweide hinab, wo er meinen Augen entschwindet.

Bin dagestanden wie ein Klotz und hab gemeint, ich müsst umfallen vor Schreck und auch hinabkugeln gegen das Tal. Ich ging eine Weile hin und her, auf und ab, und da ich den Laib nirgends sah, schlich ich kopfhängend davon und ins Haus der Knierutscherin.

Da brannte freilich ein großes Feuer auf dem Herd.

„Was willst denn, Peterle?" fragte das Weib freundlich.

„Bei uns", stotterte ich, „ist das Feuer ausgegangen, wir mögen uns nichts kochen, und so lässt meine Mutter schön bitten um ein Haferl Glut, und sie würde es schon wieder zurückbringen."

„Ihr Narren, ihr, wer wird denn so ein paar Kohlen zurückstellen!" rief die Knierutscherin und schürte mit der Feuerzange Glut in einen alten Topf; „da sieh, ich lass deiner Mutter sagen, sie soll nur schön anheizen und dir einen recht guten Sterz[40] kochen. Aber schau, Peterle, dass dir der Wind nicht hineinbläst, sonst trägt er die Funken auf das Dach hinauf. So, jetzt geh nur in Gottes Namen!"

So gütig war sie mit mir, und ich hatte ihr den Brotlaib verscherzt. Deswegen drückt mich das Gewissen heute noch hart.

Als ich endlich mit dem Feuertopf zurück gegen unser Haus kam, war ich höchst überrascht, denn da sah ich aus dem Rauchfang bereits einen blauen Dunst hervorsteigen.

„Dich soll man um den Tod schicken und nicht um Feuer!" rief die Mutter, als ich eintrat; dabei wirtete[41] sie um das lustige

---

[39] geschwind

[40] Brei

[41] wirtschaften

Herdfeuer herum und sah mich gar nicht an. Meine kaum mehr knisternden Kohlen waren so armselig gegen dieses Feuer; ich stellte den Topf betrübt in einen Winkel des Herdes und schlich davon. Ich war viel zu lange ausgewesen; da war zum Glück der Vetter Jok von der Talweide heimgekommen, und der hatte ein Brennglas, das er in der Sonne über einen Zunder hielt, bis derselbe glimmte. Und jetzt war mir die verlästerte Sonne doch noch zuvorgekommen mit dem Suppenfeuer. Ich war sehr beschämt und vermag es heute noch nicht, der Wohltäterin offen in das Angesicht zu blicken.

Ich schlich auf den Hausanger. Dort sah ich den Vetter kauern in seinem langen, grauen, rotverblümten Pelz und mit seinem weißen Haupt. Und als ich näher kam, da sah ich, warum er hier so kauerte. Das schneeweiße Zicklein lag vor ihm und streckte seinen Kopf und seine Füße von sich, und der Vetter Jok zog ihm die Haut ab.

Sogleich fing ich laut zu weinen an. Der Vetter erhob sich, nahm mich bei der Hand und sagte:

„Da liegt es und schaut dich an!"

Und das Zicklein starrte mir mit seinen verglasten Augen wirklich schnurgerace in das Gesicht. Und doch war es tot.

„Peterle!" lispelte der Vetter ernsthaft, „die Mutter hat der Knierutscherin einen Brotlaib geschickt."

„Ja", schluchzte ich, „und der ist mir davongegangen, hinab über die Lehnen."

„Weil du's eingestehst, Bübl", sagte der Vetter Jok, „so will ich die Sach schon machen, dass dir nichts geschieht. Ich hab zu der Mutter gesagt, ein Stein oder so was wär herabgefahren und hätt das Zicklein erschlagen. Hab mir's im geheimen gleich gedacht, das Peterle steckt dahinter. Dein Brotlaib ist schier in den Lüften dahergekommen, nieder über den hohen Rain, an mir vorbei, dem Zicklein zu, hat es just am Kopf getroffen – ist das Ding hingetorkelt und gleich maustot gewesen. Aber fürcht dich nicht, es bleibt beim Stein. Mit der Knierutscherin werd ich's auch abmachen, und jetzt sei still, Bübl, und zerr mir das Gesicht nicht so garstig auseinander. Auf die Nacht essen wir das Tierlein, und die Mutter kocht uns eine Krensuppe dazu."

So ist das Zicklein gestorben. Meine Geschwister erzählten mir, ein böser Stein habe es erschlagen.

Die Mutter hatte mir zuliebe meine Kohlen zum Herdfeuer geschüttet, und bei diesem Feuer wurde das Zicklein gebraten. Dem Vetter Jok war es vermeint[42] gewesen; nun sollte er davon den Braten haben. Aber er rief uns alle zu Tisch und legte uns die besten Bissen vor. Mit hat der meine nicht gemundet.

Am andern Morgen bewaffnete sich das Jakoberle mit einem Knüttel[43] und ging damit dem Vetter nach auf die Talweide.

Es wollte den Stein sehen, der das Zicklein erschlug.

„Kind", sagte der Vetter Jok und kaute angelegentlich am Pfeifchen, „der ist weitergekugelt, über den rinnt das Wasser, der liegt in der Schlucht."

Der gute, alte Mann! Mir lag der Stein auf dem Herzen, „der das Zicklein erschlagen hatte."

---

[42] zugedacht
[43] Knüppel

# Als ich zum Pfluge kam

Das ist eines der allerkürzesten, aber der allerwichtigsten Kapitel, es führt mich aus der ersten kindlichen Jugend und aus der Hirtenzeit hinaus zur zielbewussten Arbeit und zur jungen Mannbarkeit.

Es bedurfte vieler Ränke[44], bis ich's vom Rinderhirten zum Pflüger brachte. Ich musste mir den Fuß verstauchen, dass ich den Tieren nicht mehr entsprechend nachlaufen konnte; ich musste auf der Weide Vogelnester entdecken, wodurch mein jüngerer Bruder geneigt wurde, an meiner Stelle das Hirtenamt zu übernehmen; ich musste endlich den Knecht Markus, der sonst den Pflug geleitet hatte, gewinnen, dass dieser versicherte: Es wär ein bequemes Zeug, ließe sich handhaben wie ein Taschenfeitel[45], und ich, der junge Bub, sei leidlich[46] stark und geschickt genug, um den Pflug zu führen.

Und ich stand da und streckte mich, dass ich dem langen Markus mindestens bis an die Achsel langte, und ich schüttelte einen Zaunstecken, dass er ächzte – zum Beweis meiner Reife für den Pflug. Aber mein Vater lachte und rief: „Geh, du bist ein kleiner Prahlhansl! Wäre nötig, es würde dir noch alle Tage ein Anderer deine Hose ausklopfen. Na ja, und jetzt will er den Ausgewachsenen spielen. Ist recht, pack nur an, wird nicht lang dauern!"

---

[44] Schliche
[45] einfaches Taschenmesser
[46] einigermaßen

Auf dem Acker war's gesprochen. Der Markus stand zurück, und ich packte den Pflug bei den Hörnern.

Der Pflug in der Gegend meiner Heimat ist zwar nicht mehr der gekrümmte Baumast der Wilden, sonst jedoch ein unvollkommenes, plumpes Werkzeug. Der Bauer zimmert ihn selbst aus Birkenholz, die Eisenteile dazu holt er sich vom Schmied und die Räder vom Wagner. Die Hauptstücke des Pfluges sind: das Sech, das Pflugmesser, welches den Rasen senkrecht durchschneidet, der Arling oder die Schar, welche denselben waagrecht abtrennt, so dass eine Rasensohle entsteht, welche vierseitig und etwa eine Spanne breit und eine halbe Spanne dick ist. Dann ist das Mull- oder Tauchbrett, welches die abgeschnittene Sohle aus der Furche emporhebt und umlegt, sodass die Rasenseite nach unten zu liegen kommt. Weitere Teile, vermittels welchen diese Hauptstücke am Grindel[47] befestigt sind, heißen die Grießsäule, die Sohlschwelle, die „Katze". All diese Vorrichtungen müssen doppelt vorhanden sein, da die wechselseitige Hin- und Herfahrt auf bergigem Acker solches bedingt. Voran liegt der Pfluggrindel auf der Räderachse, an welche zumeist ein Paar Ochsen gespannt ist. An der Rückseite des Pfluges stehen drei Hörner oder Sterzen, die Handhaben, hervor, durch welche der Pflug von einem kräftigen Mann geleitet wird. An der Leitung dieses „Pflughabers" liegt es, die Rasensohle breit oder schmal, die Furche tief oder seicht zu machen; diesem Manne obliegt es, am Rande des Ackers den Pflug gut einzusetzen und auszuheben, auch muss er es vermögen, auf steinigem Boden vor jedem größeren Stein den Pflug herauszureißen, denn die Ochsen sind nicht plötzlich zum Stehen zu bringen, und der unbewachte Pflug würde gar bald in Trümmer gehen.

Außer diesem Pflughaber ist zum Gefährt auch noch ein Fuhrmann nötig, der die Ochsen leitet, sodass im Paar der eine stets in der Furche, der andere auf dem Rasen schreitet. Dann muss endlich ein „Nachhauer" sein; das ist zumeist eine Magd, welche mit einer Haue dem Pflug folgt, nicht gut umgelegte Sohlen niederdrückt, fehlerhafte Furchen aushaut – kurz, den Korrektor des Pfluges abgibt.

Man sieht, dass die Sache nicht einfach ist. Es gehört ein lan-

---

[47] Gestell

ger Tag dazu, um mit einem Pflug ein Joch hängigen[48] Ackerlandes umzukehren. Nun, und wie ist's dabei dem jungen Pflughaber ergangen?

Fest hatte ich den Stier bei den Hörnern gefasst. Es war aber wahrhaftig ein Stier. Vom Markus hatte sich das Zeug wie ein Spielwerk handhaben lassen; es war, als hielte er sich nur des Vergnügens wegen an die Handhaben. Jetzt war's eine andere Art. Die Rinder zogen an. Mich schleuderten die Handhaben nach rechts und links, der Pflug wollte aus dem Geleise steigen, und meine bloßen Füße kamen etliche Mal unter die Erdsohle. „Er ist zu gering beim Steiß[49]!" hörte ich den Vater und den Knecht noch lachen; das Wort weckte mich. Es handelte sich um meine Ehre, um meine Mannbarkeit. Nicht mehr der Halterbub wollte ich sein, der am Tisch bei der untersten Ecke sitzen musste, der nirgends ein Wörtlein mitsprechen durfte, der, wusste er was Gescheites, dasselbe mit den Kälbern und Schafen bereden konnte. Mein Sinn stand nach dem Höchsten; groß, stark und selbständig wollte ich sein wie der Weidknecht. Und siehe, der Mensch wächst mit seinen höheren Zielen! Ich führte den Pflug und schnitt eine leidliche Furche. Die ausgeackerten Regenwürmer hoben verwundert ihre Köpfe, zu sehen, wer heute ackere!

Die Äcker meines Vaters hatten zähe, gelbrote, mit Graswurzeln durchflochtene Erde, und die Sohlen waren ein endloser Darm und brachen auf der ganzen Pflugstrecke kaum ein einziges Mal ab. Mich freute das, denn so blieb der Pflug stets gleichmäßig in seiner Lage, und die Furche war regelmäßiger als Teichgräberarbeit. Meinen Vater freute das nicht; er hätte viel lieber schwarze und mürbe Erdsohlen gehabt. „Schwarze Erde, weißes Brot!" sagte der Spruch.

Als ich den Pflug das dritte Mal über den Acker leitete, lugte ich nach der Sonnenhöhe. Ach, diese Uhr stand! Es waren Wolken davor. Und wenn der Herrgott boshaft sein will und es heute nicht Mittag werden lässt …!

Es dauerte lange, bis endlich zur Mahlzeit oben beim Haus die Mutter auf dem Söller[50] stand, wie einst die Ahne, zwei Finger

---

[48] abschüssiges
[49] er bringt nicht genug Gewicht auf die Erde
[50] Balkon

in den Mund hielt und einen Pfiff ausstieß, den der Waldschachen so prächtig nachmachte. Ich ließ die Handhaben los und gestand mir's: so schön habe die Mutter noch gar nie gepfiffen.

Dann ging's zum Mittagessen. Ich hütete mich wohl, mir die Erde von den Händen zu reiben, denn eben diese Kruste gab mir das Ansehen: ich war nicht mehr der Halterbub, ich war der Pflughaber, hatte die gleichen Rechte wie die Knechte; ich saß neben dem Vorknecht und bestrebte mich, gewichtige Reden zu führen. Man sprach über meine Leistung; da schwieg ich, denn meine Leistung verstand sich von selber.

Es ist ein kleines Ding aus der Jugendzeit, es ist kaum groß genug, dass man's so laut erzählt; aber für den Landmann ist's ein wichtiger Tag, wenn er das erste Mal seine Hand an den Pflug legt; es ist eine heilige Tat. Das Schwert, das Kreuz ist Gegenstand großer Ehren – ich halte auch den Pflug für ein Symbol der Welterlösung. Den grauen Erdstaub, der damals an meiner Hand kleben blieb und mit dem ich zum Mittagessen ging, ich habe ihn bis heute nicht weggewischt, er ist mir das, was dem Schmetterling der Goldstaub ist.

Und so mag ich's wohl noch sagen, dass ich im selben Jahr den ganzen Acker umgebaut habe, dass mein Vater mit frommer Hand das Korn in die Erde gestreut hat und dass im nächsten Frühjahr das Korn in schönstem, erfreulichstem Grün gestanden ist.

„Seit zehn Jahren hab ich kein solches Kornfeld mehr gehabt", hat mein Vater hierauf gesagt.

Im Hochsommer, als die schweren Halme zur Reife neigten, schlug der Hagel die ganze Frucht tief in den Erdboden hinein.

So war mein erstes Ackern ausgefallen. Es war lange nicht mein letztes gewesen, aber endlich ist uns die Lust vergangen, in ewiger Mühsal dort zu bauen, wo fast jedes Jahr gröber oder leichter die Schloßen dreinfuhren. Mein Vater hatte darüber niemals geflucht, jedoch, durch mannigfaltige Missgeschicke entmutigt, allmählich den Streit mit den Elementen aufgegeben.

Heute steht auf jenem Feld, über das ich den Pflug geführt habe, ein schöner junger Lärchenwald; ich kann mit meiner Hand die Wipfel nicht mehr erreichen. Frisch wuchert es überall auf, wo früher meines Vaters und seiner Kinder Pflug und Spaten gewühlt, frisch auf zu einem neuen Hochwald. Allmählich sind wir teils fortgedrängt worden, teils willig davongezogen von der sandigen

Scholle der Vorfahren. Meine Geschwister kamen zu fremden Bauern. Ich lernte ein Handwerk und ging dann in die Fremde, um es wieder zu vergessen. Die Mutter wurde nach manchem Jahr herber Mühsal durch den Tod erlöst. Nur der alte Vater ist am längsten noch geblieben in einem Häuschen mitten im sprossenden Wald.

Endlich, da ihm die Wildhühner unter dem Dach genistet und die Eichhörnchen zu den Fenstern hineingeschaut haben, ist er aufgestanden und, gestützt auf einen Stock des Wacholders, niedergestiegen in das sonnige Tal der Mürz.

# Als ich Freigeist ward

Es lässt sich nicht leugnen, das Ding treibe ich nun schon seit meinem zwölften Jahr. Seit ich anfing, in Bücher zu schauen. Meine erste literarische Arbeit war eine „Lebensbeschreibung des heiligen Joachim". Von diesem großen Heiligen hatte ich nämlich nirgends eine Lebensbeschreibung gefunden, also machte ich ihm eine, wozu ich alle Daten und Begebenheiten selbst beistellte, ganz aus Eigenem, und so mit grimmigem Ernst, eine unbewusste Parodie der Legende schrieb. Dem heiligen Joachim folgten drei Jahrgänge „Kalender für Zeit und Ewigkeit", in welchen ich nach der bekannten Manier von Alban Stolz dem Leser die Erde recht schlecht, den Himmel recht hoch und die Hölle recht heiß machte. Mit Vorliebe behandelte ich die vier letzten Dinge, in der löblichen Absicht, alle Leute gruseln zu machen und alle Sünder zu bekehren. Aber während der junge Autor die Menschen dem Himmlischen zuwenden wollte, sank er selbst beträchtlich dem Weltlichen nahe. Dem „Kalender für Zeit und Ewigkeit" folgte ein Werk „Freue dich des Lebens", in welchem Jugendübermut, lustige Fabelei und schüchterne Liebessehnsucht hervorzubrechen begannen und diese interessanten Dinge sogar in Bildern anschaulich gemacht wurden.

In dem von meinem Heimathaus eine starke Stunde entfernten Ort Sankt Kathrein am Hauenstein lebte der Kaufmann namens Haselbauer. Er hatte eine große Anzahl Kinder, Buben und Mädeln, die alle meine Freunde waren; er war seit Menschengedenken Gemeindevorstand von Sankt Kathrein, und die große Stube in seinem Haus war an Sonn- und Feiertagen ein beliebter Versammlungsplatz für alle, die eintreten wollten, um Einkäufe zu machen, oder eine amtliche Angelegenheit zu besorgen, oder sich am Ofen zu wärmen, oder Tabak zu rauchen, oder zu plaudern, oder auch alle Erbauungsbücher und Neuigkeitsblätter, die da umherlagen, zu durchblättern.

Die Leute, Männer und Weiber, Alte und Junge, Bauern und Knechte, Holzhauer und Kohlenbrenner durcheinander, waren mein Lesepublikum. In der großen Stube beim Haselbauer hinterlegte ich nämlich meine Schriften, die, insofern sie weltlichen Sinnes, lediglich für die jungen Haselbauer beiderlei Geschlechts verfasst worden waren. Da die Schriften in der Stube des Gemeindevorstandes stets auf dem Tisch und den Fensterbrettern umherlagen, so konnte jedermann Einsicht in dieselben nehmen, und da gab's viel Kopfschütteln über den Fabelhans, der, anstatt fleißig zu arbeiten, „lauter solche Sachen" treibe.

Deshalb wurde eine alte Magd im selben Haus allmählich mit einiger Besorgnis erfüllt. Sie konnte selber nicht lesen, musste nur hören, wie über die Schriften des Waldbauernbuben manchmal gemunkelt und gelacht wurde; also packte sie eines Tages, da gerade niemand anwesend war, die Sachen zusammen, trug sie um die Dämmerungsstunde in den Pfarrhof und beschwor den Pfarrer, die Schriften zu prüfen, ob wohl nichts in denselben enthalten sei, was den frommen Seelen der Leser Schaden tun könne.

Der Pfarrer von Kathrein war ein alter kränklicher und gutmütiger Herr mit stets vorgeneigtem Kopf und schon grauem Haar.

Er genoss das besondere Vertrauen der Bevölkerung, denn er war noch einer der wenigen Geistlichen, welche die hochröhrigen, glänzenden Stiefel außen über der Hose trugen. Die meisten Priester hatten damals schon neumodische lange Beinkleider, die schlotternd bis auf den Rist hinabhingen. „Bei den Hosen fängt der Antichrist zuerst an!" pflegte die alte Magd Liesl zu sagen, und an dem ehrwürdigen Herrn Plesch fand sie soweit nichts auszusetzen. Der alte Herr hing übrigens darum so genau an der altmodischen Beschuhung, weil diese nach seiner Überzeugung die Füße wärmer hielt als die neuartigen Stiefletten. Wohlverwahrte warme Füße dünkten ihn als die erste Bedingung allen Gedeihens. Als Hauptursache aller Krankheiten des Leibes und der Seele erklärte er die Erkältung der Füße, und wenn er an ein Krankenbett gerufen wurde, so war nach Vollzug der heiligen Handlung sein Erstes, dass er den Kranken an den Füßen warm zudeckte.

Diesem guten Herrn brachte also die alte Liesl meinen „Kalender für Zeit und Ewigkeit" und das „Freue dich des Lebens".

Der Herr Pfarrer und ich waren von der Sonntagsschule und dem Beichtstuhl her gute Bekannte. „In der Schule weiß der Peterl am meisten von allen, und im Beichtstuhl am wenigsten!" Dieses rühmende Wort hatte der Pfarrer einmal über mich ausgesagt und dadurch mein Ansehen in der Gemeinde außerordentlich erhöht.

Nun, eines Sonntags nachmittags nach dem Segen hinterbrachte auf dem Kirchenplatz der Kirchendiener mir den Befehl, ich möchte ein wenig in den Pfarrhof kommen, der Herr habe mit mir etwas zu sprechen.

Das freute mich unbändig, und sofort eilte ich in die Wohnung des Pfarrers. Dieser stand in langem Talar an seinem Lesepult, vor sich die Schnupftabakdose und den blauen Sacktuchknollen, mit dem er sich manchmal unter die Nase fuhr. Als ich mein „Guten Nachmittag!" gesagt hatte und, das Tuchkappel in der Hand, höflich an der Tür stehen geblieben war, rief er mit seiner etwas dünnen Stimme: „Bist da?"

„He, he", lachte ich. Wer auf obige Frage eine bessere Antwort weiß, der hebe die Hand auf.

Hierauf holte er unter dem Pult mancherlei Papier hervor, und darunter meine Schriften.

„Setz' dich nur nieder", sagte der Pfarrer, nahm mir gegenüber in seinem Lehnsessel Platz und fing an, in den Schriften zu blättern.

„Wo hast du denn diese Sachen abgeschrieben?" fragte er so halb singenden Tones.

Jetzt war die Antwort noch leichter. Abgeschrieben hätte ich sie gar nicht; sie wären mir halt nur so eingefallen.

„Hast du denn schon einmal einem jüngsten Gerichte beigewohnt, weil du es so genau weißt?"

„Beigewohnt, das nicht", hierauf mein Bescheid, „wie halt Euer Hochwürden immer einmal gepredigt hat, so hab' ich mir's gemerkt."

„Ich? Ich hätte so was gepredigt?" rief er aus.

„Ja, auch am vorigen Ostersonntag."

„So, so. Na wird wohl so sein. Brav bist, dass du dir das Wort Gottes so gut merkst. Nur weiter so."

Ich glaubte schon, die Sache wäre abgetan und wollte mich erheben. Da schlug er das Heft „Freue dich des Lebens" auf. „Da –" er blätterte wieder, „da – ist etwas – . Schau, der Teuxel[51] will nicht auseinander!" Mit vieler Umständlichkeit kletzelte[52] er endlich die Blätter auf, – „da, *das* wirst du von mir nicht gehört haben!"

Er schaute ernsthaft auf mich, ich aufs Papier. – Gedacht hatte ich's. Die Liebesgedichte!

„Diese Verse da", fragte er, „sind dir die auch nur so eingefallen?"

„Ja", antwortete ich leise und beugte mich nieder auf den Tisch.

Jetzt steckte der Pfarrer sein glattrasiertes Gesicht zu mir vor und schrie: „Wickelkind du! Und weißt du denn, was Liebe ist?"

Ich wurde stumm. Diese Frage hatte ich nicht erwartet.

Der alte Herr stand auf, ging mehrmals mit großen Schritten die Stube hin und her, so ernst und feierlich, dass mir angst und bang wurde. – „Weißt du, was Liebe ist?" hallte es schauerlich, und er hatte das Wort doch nicht wiederholt. – Endlich trat er auf mich zu, und in unendlich gütigem Tone sagte er die Worte: „Die Schriften kannst du wieder mitnehmen. Der liebe Gott behüte dich!" –

Die Tage kamen und gingen. Tagsüber musste ich arbeiten in Feld und Werkstatt, des Abends schrieb ich bei trübrotem Kienspanschein, des Nachts schlief ich so fest, dass am Morgen der Waldbauernbub genau noch so auf dem Stroh lag, wie er des Abends hingefallen war. Einmal aber mitten in der stillen Nacht hörte ich plötzlich eine dünne, grelle Stimme: „Weißt du was Liebe ist?" Ich schrak auf, es war aber nichts weiter und bald werden die Augen wieder zugesunken sein.

Um so klarer hielt ich sie tagsüber offen, und da sah ich denn im Laufe der Zeit, wie die Welt beschaffen ist, und wie die Menschen geartet sind. Was mir gefiel, das pries ich, was mir nicht

---

[51] Teufel

[52] auseinanderbiegen

gefiel, das verdammte ich keck und übergoss es mit Hohn. Und wen ich am wenigsten schonte, über wen ich mich am öftesten und unbarmherzigsten lustig machte, das war – der Waldbauern-bub. Denn er hatte genau dieselben Fehler und Lächerlichkeiten wie alle anderen, und wenn ich auf diesen Sack schlug, so meinte ich nicht bloß den Sack, sondern auch den Esel. Immer neue Schriften verfasste ich, immer neue Falten des Lebens taten sich mir auf. In manchen tiefen Abgrund habe ich schauen müssen; heute wundert es mich, dass ich nicht besonders darüber erschrak, dass ich Abgründe für selbstverständlich hielt. Das Weh darüber kam erst später, damals waren die Unbegreiflichkeiten des Menschengeschicks gerade gut genug, um flink darüber zu dichten und zu schreiben. – Und die Schriften trug ich in die große Stube des Kaufmannes und Gemeindevorstandes Haselbauer, wo sie fürs erste meine Freunde lasen, die mich dafür lobten oder auch brav auslachten, je nachdem die Sache klug und fein oder närrisch ausgefallen. Wenn sie gerade beim Auslachen waren, da tat auch die alte Magd Liesl tapfer mit, denn diese war immer noch des Misstrauens voll, und ein böser Geist, so überlegte sie ganz schlau, der nicht totzupredigen sei, müsse totgelacht wer-den. Bei diesem Totlachen lachte ich aber selber mit und wurde dabei immer noch lebendiger.

Und dann war es einmal, dass in einem meiner Hefte ein naturgeschichtlicher Aufsatz zu lesen stand.

Eustach, der älteste Sohn des Haselbauer, las ihn eines Tages bei Tische vor, und dieser naturhistorische Aufsatz lautete wie folgt:

*Der Mensch*
*Eine zoologische Studie*

Der Mensch gehört zur Gattung der Säugetiere, erlangt aus-gewachsen die Höhe von sechs Schuh und ein Alter von achtzig Jahren. Er kommt in allen Ländern vor und ernährt sich von Fleisch, wie auch von Pflanzen. Sein Fell ist glatt, der Scheitel behaart, beim Männchen auch die Schnauze. Von Natur sanft, kann er gereizt zum blutdürstigen Raubtiere werden, in welchem Zustand er in Massen sich gegenseitig tötet. Leidenschaftlich ergeben ist er dem Saft der Trauben und hat er gesoffen, so ist er –

Der Vorleser brach plötzlich ab. Die Zuhörer hatten gelacht und nun fragte der alte Herr Haselbauer: "Nun, wo fehlt's denn, dass du nicht weiterliest?„

„Es ist zu dumm!" lachte der Vorleser Eustach.

„Nu, dann lass es gut sein."

Und es wurde darüber zur Tagesordnung geschritten.

Die alte Liesl, welche dem Vorgang beigewohnt hatte, nahm die verdächtige Geschichte aber durchaus nicht so leicht. Heimlich wusste sie sich das Heft zu verschaffen und eilte damit in die Strohkammer, wo ihr der eben anwesende Schusterwenz, der ein alter Schriftgelehrter war, den Aufsatz vorlesen musste, und zwar einschließlich der Stelle, die „zu dumm" war. Die Magd schlug beide Hände zusammen und vermochte kein Wort zu sprechen. Der Schusterwenz schwieg auch, sie waren beide sprachlos und starrten einander an.

Kurze Zeit hernach war das Heft beim Pfarrer. Und ein paar Tage später saß dieser auf dem Hügel, der hinter der Kirche auf-ragt und mit Kiefern und Weißbirken bewachsen ist. Unter einer solchen Birke saß er, seine manchmal ein wenig gichtischen Beine mit einem Wolltuch zugedeckt: „Nur Wärme an den Füßen!" Das war ja das einzige Gut, welches er energisch von all den Genüs-sen dieser Welt begehrte. Sonst war er zufrieden und wusste gar nicht, wie arm er war. Er blätterte jetzt in den neuesten Schriften des Waldbauernbuben. Da geschah es denn, dass dieser zufällig des Weges kam. Der alte Herr duckte sich und ließ den Burschen vorbeigehen bis zum Kreuz hin. Als der Peterl demselben nahte, zog er den Hut vom Kopf und ging vorüber. Der Pfarrer atmete auf: „Gottlob, das heilige Kreuz kennt er noch." Dann rief er laut: „He, Peterl, komm her einmal!"

Dieser kehrte um und trat an den Birkenbaum, sich entschul-digend, dass er Hochwürden früher nicht gesehen hätte.

„Umso mehr bin ich mit dir beschäftigt", sagte der Pfarrer und schlug das Heft zurecht; „da lese ich gerade eine schöne, wie es heißt, zoologische Studie, genannt: Der Mensch. Sage mir, hast du das selber erdacht?"

Ich widersprach nicht.

„Aber Kind, was treibst du denn?" rief er aus, „der Mensch Säugetier! Raubtier! – Der Mensch ist ja ein Ebenbild Gottes!"

„Das leugne ich nicht", hierauf meine Antwort.

„Nun dann kannst du wieder gehen."

Und die Inquisition war zu Ende. Das Heft aber hatte er bei sich behalten, woraus ich schloss, dass es ihm gefallen müsse.

Später habe ich erfahren, dass einen Tag nach dieser kurzen Begegnung unter den Birken die alte Liesl wieder beim Pfarrer war, um sich zu erkundigen, wann der Scheiterhaufen für den Ketzer denn eigentlich errichtet werde. Der Pfarrer soll ihr geantwortet haben, seitdem die Eisenbahn fahre, sei das Holz zu teuer.

„So!" gab die Alte scharf zurück, „und in der Hölle wird die ganze Ewigkeit hindurch geheizt!"

Hierauf der alte Pfarrer achselzuckend: „Möglich, dass sie dort Steinkohlen brennen!"

„Und hat der hochwürdige Herr nicht gelesen von der behaarten Schnauze und dass der Mensch, wenn er gesoffen hat, ein Schweinehund ist? He?"

„Na, das ist ja leider manchmal wahr!" sagte der Pfarrer.

Und nun konnte auch die alte Liesl gehen. Sie hat mich von dieser Zeit an nicht mehr verklagt, wich mir aber aus, wo sie konnte. Nur einmal noch gab sie ihrer Stimmung gegen mich deutlichen Ausdruck. Am heiligen Christabend war's, als der alte Haselbauer seinen Kindern die Haare schnitt. Als er mit allen fertig war, rief er mir, der ich beim Ofen saß, zu: „Nun, Peterl, setz' dich her da auf den Dreifuß, will auch dir deinen Pelz abscheren; auf ein Schaf mehr oder weniger kommt's mir nicht an." Und mir, der ich an langen Haaren nie Mangel litt, war das recht. – Nun, als er mich in der Arbeit hatte, rief die Magd, welche eben den Tisch scheuerte, dem Haarschneider zu: „Wirst die Schere schartig machen – bei dem!"

„Wieso?" fragte der alte Haselbauer.

„– wenn du unversehens in die Hörner schneidest – ?"

So drastisch fasste der Pfarrer meine Verwandtschaft mit dem Bösen nicht auf, aber eine gewisse Besorgnis meinetwegen war ihm doch anzumerken. Und als die Zeit kam, von der nun bald erzählt werden soll, und als ich vor meiner Auswanderung vom guten alten Herrn Abschied nahm, fasste er mit seinen beiden kühlen Händen meine Rechte und sprach: „Kind! Du bist zwar jetzt schon groß geworden, für mich bist du aber immer noch das Kind, das ich gesegnet, dem ich die heilige Kommunion gereicht, das ich unterwiesen in unserem christlchen Glauben und das ich immer recht lieb gehabt habe. – Du gehst jetzt fort von daheim, du gehst in die weite Welt. So einfältig wie ein Kind gehst du dahin und weißt nicht, welche Gefahren dich dort erwarten. Du freust dich auf die große Stadt, und recht so, du wirst viel lernen. Aber du weißt nicht, wie ganz anders dort die Menschen sind, als daheim bei uns. Sie werden dir anfangs recht gefallen, doch glaube mir, wenn du so wirst wie sie, dann bist zu verführt! Du hast Neigung zur Weltlichkeit, auch ein wenig zur sogenannten Aufklärung. Ist ja gut, man soll sich aufklären lassen soviel man kann, das heißt, man soll sich der Wissenschaft befleißigen und Gott auch kennen lernen in all seinen Werken. Aber eins soll man nicht, und das musst du mir jetzt versprechen, mein Kind: Unseren lieben Heiland Jesus Christus vergiss nicht. Seine heilige Lehre, die dir deine gute Mutter, dein frommer Vater, dein besorgter Seelenhirte beigebracht haben, vergiss nimmer. Bist du im Glück oder in der Not, des Herrn Wort sei dir Wegweiser und Trost, das wünscht dir dein alter priesterlicher Freund, der jetzt vielleicht das letzte Mal zu dir spricht in diesem Leben. – Behüt' dich Gott, behüt' dich Gott, mein Kind! Und achte stets darauf, dass du dich an den Füßen nicht erkältest!"

Er hatte Recht, der liebe alte Herr, es war das letzte Mal gewesen damals, dass er zu mir gesprochen hat. Doch seiner Worte gedenke ich heute noch mit Rührung, achte stets auf einen christlichen Lebenswandel, besonders aber, dass ich mich an den Füßen nicht erkälte.

# Bübchen, wirst du ein Rekrut!

Jenen Februarmorgen vergesse ich nicht. Er war vorauszusehen und hat uns doch überrascht.

Ich war ein wenig über zwanzig Jahre alt; obwohl ich mich durchaus schon als junger Mann fühlte und auch bestrebt war, als solcher zu handeln, so benahm ich mich doch noch immer wie ein Kind, weil ich von meinen Eltern stets als solches geachtet wurde. Ich musste mich schon bücken, wenn ich durch die Tür ins Haus trat, und wenn ich in der Stube am Tischwinkel stand, so reichte ich mit meinem Kopf hinauf bis zu der heiligen Dreifaltigkeit an der Wand, um deren Geheimnis zu erspähen ich als Knabe so oft Stuhl und Tisch erklettert hatte. Aber die Leute riefen mich immer noch bei meinem kleinen Kosenamen, und ich hörte noch immer auf denselben – und so schlich in aller Stille jener Februarmorgen heran.

Es war ein Sonntag, an dem ich mich, von einer weiten Stör heimgekehrt, recht behaglich auszurasten gedachte. Als ich erwachte, stand in der Nähe des Bettes mein Vater, der sagte, es wäre Zeit zum Aufstehen, er hätte mit mir was zu reden.

Ich streckte mich nicht nach der Decke, sondern nach allen Seiten weit unter derselben hinaus. Ich gähnte frisch drauflos, und da der Mund schon einmal offen war, so fragte ich meinen Vater, ob ich es nicht auch liegend hören könne, was er mir zu sagen hätte.

„Bist du beim Bürscherwirt in Krieglach vielleicht etwas schuldig?" fragte er mich und harrte mit Spannung meiner Antwort. Aber ich fragte meinerseits, weswegen er diese Frage stelle; was ich beim Bürscherwirt getrunken, das hätte ich allemal bezahlt.

„Hab' mir's ja auch gedacht. Nur weil der Bürscher heut' einen Zettel schickt, der, meine ich, dir gehört."

Er gab mir den Zettel; derselbe war grau, und ich wurde rot. Der Vater bemerkte das und sagte: „Mir kommt's vor, es steht halt doch eine Schand' drin!"

„Schand' keine", sagte ich und wandte mein Auge nicht von den Zeilen, die zum Teil gedruckt und zum Teil geschrieben waren, „da schon eher eine Ehr'."

Der Zettel lautete:

*Vorrufung*[53]. Roßegger Peter, Haus-Nr. 18 in Alpl, im Jahre 1843 geboren, von der Gemeinde Krieglach, hat behufs[54] seiner Militärwidmung am 14. März 1864 Vormittags 8 Uhr am Assentirungsplatze[55] zu Bruck rein gewaschen und in gereinigter Wäsche verlässlich zu erscheinen, widrigens er als Recrutirungsflüchtling behandelt werden und sich die diesfälligen gesetzlichen Folgen zuzuschreiben haben würde.

Kindberg, den 15. Februar 1864.

Der k. k. Bezirksvorsteher

Westreicher m. p.

Los-Nr. 67.                                                    Altersklasse I.

Jetzt war auch schon die Mutter da. Sie konnte es nicht glauben. – Wie lang es denn her sei, dass ich kaum ein Halterbübl gewesen wäre. Und jetzt auf einmal Soldat!

„Noch ist er's nicht", sagte mein Vater.

„Lass nur Zeit. Und schau ihn nur an. Den schicken sie dir nicht mehr heim. Maria Josef! Und die Brust wachst sich jetzt auch aus. Dein schmales Brüstel ist mir allerweil mein Trost gewesen. Dass du letztes Jahr aber gar so viel daher gewachsen bist!"

---

[53] Vorladung
[54] zwecks
[55] Musterungsstelle

Ich war aus dem Bett gesprungen, wusste aber nicht, wie ich mich gegen den Vorwurf der trostlosen Mutter verteidigen sollte.

Mein Vater sagte zu ihr: „Sei froh, dass er gesund ist. Willst denn einen Krüppel haben? Wär' dir das lieber, als ein braver, sauberer Kaiserlicher[56]?"

„Du hast wohl auch recht, Lenzl[57]; wenn ich ihn nur bei mir haben könnte! Zuletzt muss er gar noch vor den Feind. Ich darf gar nicht dran denken." Und die Schürze vor ihr Gesicht.

„Wärst liegen geblieben noch", sagte zu mir der Vater, „hättest ja noch liegen bleiben können, wenn's dir taugt."

Mit war nicht mehr ums Liegen. Mir war heiß in allen Gliedern. Ich hatte diese Vorrufung wohl insgeheim mit Bangen erwartet; nun, da sie da war, fühlte ich etwas Frisches in mir. Lust und Stolz empfand ich. Es hatte mich der Kaiser gerufen. Ich sprang vor die Tür, ich hätte es mögen hinausschreien, von Haus zu Haus, von Berg zu Berg: „Ich bin Rekrut!"

Bis zum 14. März waren noch mehrere Wochen. Die Mutter wollte, dass ich gar nicht mehr auf die Stör gehen, sondern zu Hause bleiben sollte, damit sie mich die kurze Zeit noch um sich hätte. Mein Meister, der immer gütige, er gab ihr nach. Sie verlor sich in Sinnen und Plänen, wie sie mir diese Zeit, die letzte, die ich um sie sein sollte, angenehm machen könne. Sie besann sich auf all meine Lieblingsspeisen. Sie sprach die Botengeherin an, dass sie ihr rote Rüben und getrocknete Kirschen verschaffe, Dinge, die meinem Gaumen damals zur Lust gewesen sind. Sie streute den Hühnern Hafer über Hafer vor und suchte ihnen zu bedeuten, dass ihnen den ganzen nächsten Sommer über die Pflicht erlassen sei, nur jetzt in dieser großen Zeit sollten sie Eier legen, sonst wisse sie sich nicht anders zu helfen, als Kopfabhacken, denn der Kaiserliche, wenn er keine Eierspeise kriegt, so esse er auch gebratene Hühner, und wären sie noch so alt und zäh; man glaube nicht, was so ein junger Mensch, der gerade dabei ist Soldat zu werden, für Zähne hat!

Geliebtes Mutterherz, so heiß einst und so treu! Wie kann es möglich sein, dass du heute ein kühles Stück Erde bist! Wie strebe ich dir heute zu! Wie bitte ich dich, dass du dich von mir lieben

---

[56] Kaiserjäger
[57] Lorenz

lässt, sowie du mich einst gebeten hast. Du bist mir nun fast noch kühler, als ich damals zu dir. Ich habe nicht daran gedacht, wie viel Liebesfreudigkeit und Opfersehnsucht in den kleinen Gaben und Freuden verborgen war, die du mir bereitet hast! Ich habe dich genommen, wie man den Morgenhauch, den Sonnenschein nimmt, ohne dafür zu danken.

So nahm ich damals, als die Soldatenstellung bevorstand, die Güte der Mutter ziemlich gleichgültig hin, und anstatt bei ihr zu Hause zu bleiben, ging ich zu den Nachbarn und machte Gemeinschaft mit den Burschen, welche, wie ich, die Vorrufung erhalten hatten. Es waren welche darunter, mit denen ich sonst wenig zu tun hatte – ich hielt's nicht gern mit meinen Nachbarsburschen, unsere Neigungen gingen allzu stark auseinander – aber das gemeinsame Schicksal führte uns nun zusammen, wir gingen miteinander um, wir zechten miteinander in den Wirtshäusern, und weil ich ganz vom Zusammenhalt beseelt war, so gab ich mich nicht weniger ausgelassen als die anderen.

Jeder rauchte Tabak, und zwar jetzt nicht mehr aus den Pfeifen, sondern Zigarren, sodass die Leute meinen sollten, der Kaiser habe seinen jungen Rekruten schon Kommisswurzen[58] vorausgeschickt. Jeder strengte sich an, hübsch gerade und aufrecht zu gehen, es soll aber – wie ich später vernahm – etwas gespreizt herausgekommen sein. Ob jeder sein Liebchen hatte, weiß ich nicht; gewiss ist nur, dass jeder von seinem Liebchen sang. Die Lieder sind da für Schöne und Hässliche, für Treulose und für Verlassene, für Begehrte und Heißherzige, Lieder für den täglichen Gebrauch und für besondere Anlässe. Ich sang bei jedem Liede kecklich[59] mit, als ob ich allerlei Gattungen von Mädchen besäße. Und doch war mir im Geheimen bange um den Rekrutenstrauß.

Hier diene zur Belehrung, dass der Bursche, welcher zur Rekrutierung muss, von seinem Liebchen einen bunten Strauß mit Bändern auf den Hut geheftet erhält. Die Bänder sind zumeist rot und flattern – wenn die Träger gerade recht Wind machen – wie Fahnen. Die Rosen und Knospen sind meist aus gefärbter Leinwand, oder aus Papier geschnitten, sie haben den Vorteil, dass sie immer hell und frisch bleiben und nicht gleich die Köpfchen hän-

---

[58] Zigarrenart (Virginia)
[59] übermütig

gen lassen wie natürliche Blumen – denn das Kopfhängerische taugt bei Rekruten einmal nicht.

Nur ein grünes Stämmchen Rosma'in ist dabei, das ist die Seele des Straußes, und in diesem grünen Zweig redet die Liebste zum Liebsten. Solange es die Liebste mit Rosmarin zu tun hat, ist noch Mai in der Liebe.

Von woher nun sollte *ich* meinen Strauß nehmen? Ein Liebchen! Ich wusste eins, aber ich hatte keins; ich hatte nie daran gedacht, wie unerlässlich für den Rekruten das Mädel ist.

Sollte ich nun – während alle anderen mit wallenden Sträußchen von hinnen zögen – sollte ich „munsad"[60] hinterdrein trotteln? Und was nützt mich das Soldatwerden, wenn kein Mädel daheim weint?

Der Tag kam heran.

Die Mutter tat gefasst, ja bisweilen sogar heiter, hatte aber rote Augen. Einmal ging sie zu meinem Meister und weinte ihm vor. Aber er lachte und sagte, er sehe nicht ein, worüber man sich da zu grämen hätte; der Peter brauche sich vor dem Militär gar nicht zu fürchten, der hätte die Schneiderei gelernt, der könne sogar einmal ein Zuschneider bei den Kommissschneidern werden, und da lache er alle aus. – Aber die gute Mutter wollte jetzt vom Lachen nichts sehen und nichts hören, sie blieb trostlos – es war ihr dabei verhältnismäßig am wohlsten. Sie bereitete mir die feinste Wäsche, die aufzutreiben war; es wurde aber nichts weiter von der Rekrutierung gesprochen bis zur letzten Stunde, da ich fortging, und da die Mutter mich bis nach Kr eglach begleiten wollte.

„Um Gottes willen, nur das nicht!" rief ich aus; wie hätte sich das gemacht, wenn ich an Mutters Seite dahergegangen wäre, und vor uns die Burschen mit tollen Spottliedern! – Ei, das hätte sich freilich übel gemacht! So sehr des Teufels ist oft die Jugend, dass es Zeiten gibt, in welchen das weichherzigste Muttersöhnchen sich seiner Eltern schämt.

„Na, na, Alte", sagte mein Vater zu ihr, „mitgehen kannst nicht; du taugst nicht dazu, und den Buben würden sie hänseln."

Die Mutter sagte kein Wort mehr. Sie ging, um mich nicht etwa dem Spott der Vorüberkommenden auszusetzen, nicht einmal bis vor die Haustür mit mir. Drinnen in der Stube tauchte sie

---

[60] ohne Kopfschmuck

ihren Finger in das Weihbrunngefäß und machte damit ein Kreuz über mein Gesicht und eilte dann in ihre Nebenkammer. Und gutstehen will ich nicht dafür, ob ich im dunklen Vorhaus mit dem raschen Strich über die Augen nicht auch die feuchte Stelle des Kreuzzeichens ausgetilgt habe.

Beim Stockerwirt am Alpsteig kamen wir alle zusammen. Jeder hatte, wie ich geahnt, seinen Hut voll Herrlichkeiten; nur mein Kopf war glatt, wie das eines armseligen Böckleins, dem noch keine Hörner gewachsen, das mit den langen Ohren allein zufrieden sein muss. Demnach war ich noch beim ersten Glas todesunglücklich, beim zweiten fiel mir schon der Tschako[61] ein, auf dem der Kaiseradler prangt, und der mir so sicher war, als den anderen.

Es waren saubere Kerle darunter, aber auch elendigliche Knirpse, denen die breiten Hutbänder den Höcker, den Kropf und – wenn ich ein wenig übertreiben darf – fast auch die Säbelbeinigkeiten verdecken sollten. Wo die nur ihre Mädels hergenommen hatten, dass sie zu den stolzen Sträußen kamen? Alle hatten ihre Hüte auf, nur ich hatte den meinen in einen Winkel geworfen, um den Hohn zu vermeiden.

Als wir endlich aufbrachen und ich meinen Hut doch wieder hervorholen wollte, fand ich ihn nicht. Denn an seiner Stelle war ein anderer mit prächtigem Strauß und mit zwei Bändern, das eine rot und das andere weiß; und ich sah es nun, dass es doch *mein* Hut war, der von unbekannter Hand so glorreich zu Gnaden gekommen. – So hatte ich denn doch vielleicht ein Liebchen? Ich besann mich, aber es fiel mir keines ein, dem ich es zutrauen wollte, dass es mich, den „Traumichnicht", gern hätte. Der Stockerwirt hatte schöne Töchter, aber sie waren schon alle verheiratet. Die alte Stockerwirtin war einer Sage nach auch einmal jung gewesen, aber aus diesen Zeiten konnte der Strauß und der Rosmarinstamm doch nicht stammen.

Die alte Wirtin hatte keinen anderen Anteil an der Sache, als dass sie mir zulispelte, es wäre am Haus eine vorbeigegangen, und die hätte mir den Buschen zugeschanzt.

Nun, ich hatte ihn einmal, und er stand schöner und üppiger als wie der aller anderen. Was ich mir nun unter diesem Strauß den Kopf zerbrach! Tat aber den anderen gegenüber, als ob ich

---

[61] militärische Kopfbedeckung, Hut

recht gut wisse, von wem ich ihn hätte, und brachte es auch so weit, dass ich selbst an eine Bestimmte dachte, glaubte und schließlich überzeugt war, welche es sei, die ich liebte. Es ist nicht zu sagen, wie sehr eine solche Gewissheit gleich mannbar macht! Ich war nun unterwegs auf der Straße der Herlebigste[62] unter allen, und mehrere waren dabei, die sagten, sie hätten es nicht gewusst, dass der „Lenzische" ein solcher Teufelskerl sei. Darauf habe ich mir nicht wenig eingebildet.

Einer der unzähligen Späße war, dass wir in Krieglach „den Eisenbahnzug zum Stehen" brachten. Wir stellten uns vor der Bahnstation auf und riefen dem einfahrenden Zug ein gellendes: „Halt, stehen bleiben!" zu. Blieb er denn stehen, und wir stiegen lachend ein. Immer ging's nicht so harmlos ab.

Als wir schon auf der Eisenbahn saßen – der Gemeindevorstand in Krieglach hatte uns das Fahrgeld angewiesen, welches, wie wir glaubten, geradewegs vom Kaiser geschickt kam – machte einer von uns, der Zedelenz, den Vorschlag, wir sollten einmal all unsere Rosmarinsträuße untersuchen; wessen Stamm ins Welken übergehe, der sei am öftesten im Arm der Liebsten gewesen. – Und da stellte es sich heraus, dass der grüne Zweig auf meinem Hute sich ein wenig weich an die roten Leinwandblumen schmiegte. Mich versetzte das innerlich in neue Unruhe. Sollte denn dieser Rosmarinbusch mehr von ihr und von mir wissen, als ich selber?

„Ja, ganz selbstverständlich!" lachte ich auf.

Aber, statt damit Achtung zu erzielen, zog ich mir Spott zu. Sie sprachen von Wiegenholzführern[63]. – Wen das was anginge? fragte ich schneidig, wem's nicht recht wäre, der solle nur hergehen! – Denn mir war es eingefallen, ein echter Rekrut dürfe sich nichts gefallen lassen, müsse wild werden können und einen Raufhandel anheben. Und so polterte ich, bis ich mich wirklich in den treuherzigsten Zorn hineingepoltert hatte, mit den Füßen stampfte, mit den Armen herumfocht und glücklich eine Fensterscheibe zertrümmerte.

Jetzt war der Kondukteur[64] da: Welcher das Glas zerschlagen hätte?

---

[62] unbekümmert, leichtsinnig
[63] Wiegenholz führen: Brauch bei dem ein Tannenbaum vor die Türe des Hochzeitspaares geschleift wird, aus dem die Wiege für das Kind gezimmert wird.
[64] Schaffner

„Der Lenzische!" krähte einer, „der Schneider!" Aber die anderen schrien, es wäre nicht wahr, und es würde nicht gesagt, wer es getan hätte.

„Von euch brauch' ich keine Vertuscherei!" fuhr ich drein, „ich hab' die Scheiben zertrümmert, was kostet der Bettel[65]?"

„Das wollen wir in Bruck miteinander abmachen", entgegnete der Kondukteur, „wirst schon zahm werden, Bursch', beim Militär."

– Jetzt, dachte ich bei mir, Lenzischer, jetzt bist Soldat. Hierauf soll ich ruhig geworden sein, als hätte mich die Winterluft, die durch das zerbrochene Fenster strich, hübsch abgekühlt.

Auf dem Bahnhof in Bruck war von der Glasscheibe keine Rede mehr, und als wir die Stadt durchjohlten, schlang ich meine Arme um die Nacken meiner Nebengehenden und fühlte Dankbarkeit, dass sie mich als Täter hatten in Schutz nehmen wollen.

Von den Fenstern der Häuser schauten Stadtfräulein auf unser tolles Treiben herab, und wir waren überzeugt, dass sie alle in uns verliebt sein müssten, je ungebärdiger wir taten und je wilder unsere Hutbänder flogen. Wir hatten ein bisschen Ahnung davon, dass so ein vor Trotz und Übermut wiehernder Bauernbursch' aus dem Gebirge, der als Ritter des Vaterlandes ausmarschiert, auch für das Stadtweibervolk immerhin ein kleines Begehrt[66] hat.

Schon von Korporälen geleitet, zogen wir auf der anderen Seite wieder zur Stadt hinaus und einem alleinstehenden Gebäude zu. Da hinein. Jedem von uns war ein wenig wirr, keiner wusste, als was er wieder aus diesem Haus gehen würde. Hier in der Stadt sah sich das Soldatenleben nicht mehr ganz so glorreich an, als daheim in den Wäldern. Die meisten von uns – die wir sonst nicht die Frömmsten waren – seufzten, als wir die Stiege hinaufpolterten, ein „in Gottesnamen!"

Wir kamen in einen großen Saal, der fast Ähnlichkeit mit einer Scheune hatte, und wo schon über hundert junge Männer versammelt waren, sodass es ein Gesurre und Durcheinanderhuschen und einen seltsamen Anblick gab. Einige hüpften und sprangen, des Galgenhumors voll, in bloßen Strümpfen oder barfuß

---

[65] Kleinigkeit
[66] Anziehung

drüber und drunter; andere banden ihre Kleider zusammen und setzten sich auf die Bündel und waren todestraurig. Wieder andere lehnten und standen an den Wänden herum wie geschnitzte Heilige, und der Angstschweiß stand ihnen auf der Stirne. Gerade von den Zwergen und Krüppeln könnte man sagen, dass ihnen das Herz am tiefsten in die Hosen gefallen wäre, wenn sie noch welche angehabt hätten.

Ich ging im Saal herum, meinte es mit jedem gut, wollte aber mit keinem reden; sie wunderten sich, dass ich so gleichgültig sein konnte; von der großen Aufregung, die in mir war, habe ich nichts merken lassen.

Plötzlich wurde die Eingangstür geschlossen, sodass einer murmelte: „Schaut's, jetzt ist die Fuchsfalle zugeschnappt!" Dafür ging eine gegenüberliegende Tür auf, ein paar Soldaten – das waren aber schon fix und fertige – stiegen unter uns herum und beförderten einen um den anderen durch die Tür in den inneren Raum. Die meisten schritten übrigens recht tapfer durch die verhängnisvolle Pforte. Wir waren nummeriert. Damit an einer und derselben Altersklasse in der Reihenfolge der Vorrufung keine Willkürlichkeit herrschen konnte (wobei es für den Rekruten gewöhnlich vorteilhaft ist, einer der Letzten zu sein), so wird die Reihenfolge einige Wochen früher stets durch das Los bestimmt, welches jeder Stellungspflichtige persönlich ziehen oder durch beliebige Personen ziehen lassen kann. Für mich hatte der Krieglacher Vorstand[67] gezogen, und zwar die günstige Nummer 67.

Die Nummern bis 30 hinauf kehrten fast zur Hälfte nicht wieder. Ein Feldwebel holte ihre Kleider. Wir wussten, was das zu bedeuten hatte. Die aber zurückkehrten, brachten ein um so vergnügteres Gesicht mit, kleideten sich so rasch als möglich an oder nahmen aus Furcht, dass es die Herren drinnen gar noch reuen könne, sie laufen gelassen zu haben, eilig die Kleider unter den Arm und entschlüpften durch irgendein Loch davon.

Von Nummer 51 bis 65 kehrte jeder zurück. Die Nummer 66 erschien nicht mehr; der Feldwebel kam um ihren Anzug. So wurde endlich nach Nummer 67 gerufen. Ich schritt mit möglicher Gemessenheit – eher zu schnell als zu langsam – in die Löwenhöhle.

---

[67] Bürgermeister

Was war denn da Besonderes? Drei oder vier Herren in schwarzen Röcken mit funkelnden Knöpfen, silbernen Halskrägen, Säbeln und Schnurrbärten, Zigarren rauchten sie. Mein erster Gedanke war, ob sie nicht durch ein höfliches „Guten Morgen" zu bestechen wären. Aber ich hatte von meinen Vordermännern gehört, dass die Herren für einen solchen Gruß gar nicht gedankt hätten; wir waren nichts als eine Sache, und wer wird denn mit einer Nummer 67 Gruß tauschen? Ich biss also die Zähne zusammen und schwieg und warf den trotzigsten meiner Blicke vor mich hin.

Sofort wurde ich an eine aufrechtstehende Stange gestellt. Einer der Offiziere schob mit sachtem Händedruck die Brust hervor, die Knie zurück und sagte: „Vierundsechzig ein halb!"

Ein anderer schien das aufzuschreiben.

„Brust frisch; Muskeln bildungsfähig."

„Noch ein Jahr laufen lassen", sagte ein anderer.

„Geh' und zieh' dich an!"

Das war der ganze Vorgang. Ich wusste kaum, wie ich wieder in den Vorsaal gekommen war. Beim Ausgang an der Treppe hielten die wachehabenden Soldaten das Bajonett vor den Weg; das ist eine Bitte an die Glücklichen um Trinkgeld. Es bedürfte des Bajonettes nicht, jeder gibt: ist es doch der Moment, in welchem er aus dem verhängnisvollen Haus und seinen oft harten Folgen wieder in die liebe Heimat zurückkehren darf.

Die „Gebliebenen" durften zumeist auch noch einmal heimgehen und dort die Einrückung abwarten; aber erst werden sie in Gewahrsam gehalten, bis die Herren mit der Assentierung fertig sind; dann werden sie zu den Regimentern eingeteilt und haben den Fahneneid zu leisten, und nun sind sie – Soldaten.

Wir erwarteten sie in den Wirtshäusern von Bruck, sie wurden mit lautem Geschrei empfangen, und sie wurden gefeiert mit Wein und Gesang, und wenn mancher der „Behaltenen" ins Brüten versinken wollte darüber, dass er heute sein heiteres Jugendleben in den grünen Bergen verloren und nun fortmarschieren soll, vielleicht in ein fremdes Land, vielleicht aufs weite Feld, und dass er – er lebte so gern wie die anderen – sein junges Blut einsetzen soll: so weckte ihn das Gejohle der Zechgenossen immer wieder zu neuer Wirtshauslust, und endlich war in allen eine Stimmung, als wäre bloß dieser eine Tag, aber er hätte kein Ende, er versinke nur in die Nacht und die Nacht in Wein.

Doch es kommen und vergehen die Stunden, und es kommen und vergehen die Räusche. Am anderen Tage sonderten wir uns, und nach Krieglach-Alpl ging, was nach Krieglach-Alpl gehörte. Aus unserem Schock[68] waren zwei Mann zu Soldaten geworden: ein blutarmer, aber bildschöner Kohlenbrennersohn und ein Bauernknecht. Der Bauernknecht stellte sich lustig und fast ausgelassen und wollte mit manchem Straßenwanderer, der uns begegnete, Händel anfangen. Der Kohlenbrennerssohn war traurig. Wir wussten nicht, was denn er durch das Soldatenleben verlor, er wusste es auch nicht – er schaute die hohen Berge an und die Waldbäume …

Umso mehr sorgten wir Anderen und die Wirtshäuser am Weg, dass die tolle Rekrutenlust nicht entschlafe. Auch in Bauernhöfen sprachen wir vor um einen Trunk. Den Strauß und die Bänder sollte nach der Väter Sitte nur der als Soldat zurückkehrende Rekrut auf dem Hut behalten. Wir aber machten es anders, wir behielten alle die Sträuße auf, um damit umso mehr Aufsehen zu erzielen.

„Schau, schau, es wird vielleicht wohl Krieg werden", meinte manch ein Bäuerlein, „weil sie jetzt alle behalten – gleich alle nach der Reihe her. Wird wohl wahr sein, was die alten Leut' gesagt haben, dass die Weibsleute um den Stuhl raufen werden, auf dem einmal ein Mann ist gesessen."

Hinter dem Dorf Freßnitz erreichten wir einen Bettelmann, der seinen Leierkasten auf dem Rücken trug. Sogleich forderte ihm einer den Drehhebel ab, und während ein zweiter den Alten voranführte wie ein Zaumross, werkelte ein dritter auf dem Rücken des Bettelmannes alle Weisen, die im Kasten steckten, und wir übrigen tanzten und hüpften auf der gefrorenen Straße. In solchem Aufzug kamen wir nach Krieglach, wo wir unser musikalisches Gespann ins Wirtshaus mitnahmen. Der Alte war gar sehr vergnüglich und versicherte uns, dass wir Engel von Rekruten wären gegen jene zu seiner Zeit. Er hätte es auch getrieben, und wenn sie einmal einen Bauer, der im Wagen saß und sich von seinem Esel den Berg hinanziehen ließ, an die Deichsel gespannt und dafür den Esel in den Wagen gesetzt hätten, so wäre das noch nicht das Keckste gewesen. Er ließ uns leben und pries die alte Zeit.

---

[68] Gruppe

Über den Alpsteig hin wurde viel gesungen. Ich möchte die Lieder nicht wiedergeben; wir sangen uns warm, wir sangen uns heiser. Als uns an der oberen Reide[69] eine Hausiererin, die Eiermirzel aus dem Jackelland, begegnete, welche im Korb die Dinge, von denen der Volksmund singt: „'s ist ein länglichrund Kastl, hat kein Türl und kein Astl, ist eine Kaiserspeis' drein", nach Mürzzuschlag trug, kam mir das Wort aus: „Lehne[70] Eier wären gut gegen die Heiserkeit!"

„Das werden wir aber gleich sehen!" riefen die Anderen, nahmen dem Weib den Korb ab und tranken ihre sämtlichen Eier aus. Der Köhlerssohn trank auch mit – ich ebenfalls.

Die Eiermirzel konnte in ihrer Entrüstung sonst kein Wort hervorbringen, als: „Ihr seid Lumpen!"

„Das macht nichts", antwortete ihr der Zedelzenz, „wenn wir einmal Geld haben, zahlen wir."

Sie kehrte nun mit ihrem leeren Korb um und äußerte brummend ihre verschiedenen Ansichten über uns und unser Gehaben. Wir fingen wieder an zu singen, und die Eier taten ihre Schuldigkeit.

Beim Stockerwirt ließen wir's noch einmal toll übergehen. Ich unterließ es nicht, hier neuerdings nach der Straußspenderin zu forschen, und war fest entschlossen, dieses Mädchen, wann und wo ich es auch ergriffe, mit ganzer Herzensseligkeit zu lieben.

Die alte Wirtin zwinkerte vielsagend mit den kleinen Äuglein, aber Näheres habe ich bei ihr nicht erfahren.

Vor dem Wirtshaus trennten wir Burschen uns in dem unerschütterlichen Bewusstsein, nach diesen Tagen der Gemeinsamkeit uns gegenseitig die zusammenhaltigsten[71] Kameraden zu bleiben. Für den Tag, wenn die beiden Gebliebenen fort müssten, wurde noch ein Abschiedsfest beim Stockerwirt bestimmt. Nach verrauschter Lust war es fast öde in meinem Inneren, als ich hinaufging gegen mein Heimathaus. Zu jedem Fenster sah schon ein lachender Kopf auf mich heraus. Der Vater ging mir langsam entgegen und schlug mir mit dem Arm den Hut vom Kopf, dass die Bänder rauschten im hartgefrorenen Schnee.

---

[69] Wegbiegung
[70] weiche
[71] treuesten

Ich wusste im ersten Augenblick nicht, was das zu bedeuten hätte, aber mein Vater ließ mich hierüber nicht lange im Ungewissen.

„Macht dir das nichts", sagte er, „dass du mit einer brennroten Lüge auf dem Hut heimkommst? Von wem du den Besen hast, davon werden wir später noch reden. Jetzt frag' ich dich nur, wieso du deiner Mutter das antun kannst? Wie hart ihr ums Herz ist in der Angst, dass sie ein Kind verlieren könnte, das weißt du hundsjunger Laff[72] freilich nicht. Aber dass du uns so erschrecken mögen hättest! Von dir hätt' ich das nicht erwartet. Wenn nicht gerade die Eiermirzel gottgesandt daher kommt, hättest du mit deinem verdanktleten Buschen[73] eine saubere Geschichte anfangen können. Wo die Mutter eh' immer kränklich ist!"

Ich zitterte am ganzen Leib. Der Rekrutendusel war weg, ich sah plötzlich meine Niedertracht. Mein Herz tat einen Schrei nach der Mutter. Und dieselbe Eiermirzel, die wir auf der Straße – ich sage den rechten Namen – ausgeplündert hatten, war in ihrer Gutmütigkeit vorausgelaufen, um den Meinen, von denen sie manche kleine Wohltaten empfangen hatte, zu sagen, dass sie sich vor dem Soldatenstrauß, mit dem ich wahrscheinlich heimkommen würde, nicht erschrecken möchten, ich wäre glücklich davongekommen.

Der freudvolle Händedruck der Mutter vergrößerte noch meine Zerknirschung. Da hielt mir schon der Vater den Strauß vor die Nase: „Und jetzt, Bub, musst wohl so gut sein und mir sagen, woher du das schöne Geblümel hast! Ziehst mir gar schon etwa mit einer um? Das muss ich wissen!"

So Vieles und Süßes von hübschen Dirndln ich in mir dachte, so gern ich davon mit meinesgleichen sprach, vor dem Vater sah das Ding anders aus.

Ich versicherte, dass ich noch mit keiner umziehe und dass ich nicht wisse, wer mir den Strauß gegeben hätte. Er lachte auf, dann fuhr er mich zornig an, von wegen „der dummen Keckheit, ihm so was vorlügen zu wollen".

Die Mutter kam dazwischen und sagte, man könne froh sein, dass ich wieder daheim wäre, und man solle mich nicht erst hart schelten.

---

[72] Dummkopf, Tölpel
[73] Strauß

„Du machst ihn in seiner Schlechtigkeit noch stark?" rief er, „wenn er mir hell ins Gesicht lügt. Oder ist dir so ein Halbnarr schon vorgekommen, der nicht weiß, von wem er den Buschen auf dem Hut hat?"

„Jetzt muss ich lachen auch noch", sagte die Mutter, „dieses Mal kann's der Bub' freilich nicht wissen, weil ich selber ihm den Strauß heimlich auf den Hut stecken hab' lassen, dass er doch auch was Färbiges haben soll, wie die anderen."

*Heimlich* hat sie's getan, weil sie wohl geahnt hat, ihr Sohn verlange nach fremden Rosen und könnte die Spende der Mutter verschmähen. Sie hat ihm seine Undankbarkeit schon im Vorhinein verziehen. – Und der heimkehrende Sohn hätte sie mit demselben Strauß zu Tode erschrecken können!

Dass die Kinder nur immer so ins Weite und ins Fremde streben, nach Liebe hungern und nach Liebe haschen, die sie doch so rein und reich und unendlich nirgendwo finden, als daheim an der ewigen Liebe Quelle – am Mutterherzen!

# Als ich davonging

In der Weihnachtswoche des Jahres 1864 hatten wir, mein Meister und ich, weit drinnen in einem Grabenhäusl der St. Kathreinpfarre auf der Stör gearbeitet, um den armen Leuten, die schon seit Michaeli her in ihrem Leinengewand froren, endlich für den Winter neue Lodenkleider zu machen. Es hatte die Tage arg geschneit und gestürmt, sodass ich insgeheim schon in großer Angst war, wir wären eingeweht und würden über die Feiertage in der ödweiligen, rauchenden Hütte verbleiben müssen. Schrecklicheres als das hätte ich mir nicht denken können; meine Hoffnung und Sehnsucht das Jahr über waren die lieben Weihnachten mit ihrer Weihe im Heimathaus, mit ihrer Glorie in der Kirche, mit ihrem Festmahl und mit ihrer hübschen Reihe von Feiertagen. Da konnte ich bei meinen Büchern, Schriften und Zeichnungen sein. Ich konnte mir nun Schreibzeug kaufen, denn so außerordentlich hatte sich meine Lage gebessert, seit es Wochenlohn gab.

Es standen fröhliche Weihnachten bevor, und ich machte mir an den langen Winterabenden bei Nadel und Zwirn im Stillen manchen Plan für Erzählungen, Gedichte, Dramen und so weiter, die ich in den Feiertagen beim Ofen und bei der Fackel daheim ausarbeiten wollte.

Und wenn wir dann spät um zehn oder gar um elf Uhr – bei dringender Arbeit vor Festtagen mussten wir stets tief in die Nacht hinein fleißig sein – auf's Stroh gingen, das uns die Bäuerin auf dem Fußboden in der Stube nahe an unserem Arbeitstisch ausgebreitet hatte, betete ich, dass die Witterung sich zum Guten wende.

Ein frischer Wind, ein heiterer Himmel, gute trockene Kälte, hie und da ein Schneeschaufler – so war der Heilige Abend. Mittags um elf Uhr sagte der Meister: „So, jetzt machen wir Feierabend." Ich zog die Fäden aus den Nadeln, steckte die Nadeln in das Kissen und das Kissen in das Ränzel[74]: die Schere, den Pfriemen[75], den Fingerhut dazu, fröhlich pfeifend, wie allemal zur Feierabendzeit – wie hätte ich wissen können, dass es das letzte Mal war?

Mein Meister sagte noch die Worte: „Na, wie oft hab ich dir schon gepredigt, dass man den Faden nicht aus dem Öhr zieht, wenn man einpackt – der gehört dem Schneider, und das Jahr über macht's einen Strähn[76]. Bist auch nicht gerade einer, der seine Sachen wegzuwerfen hat."

Ein lieb- und sorgenreiches Wort. Ich weiß nicht mehr, ob ich den Faden noch mitgenommen habe. Die Bäuerin brachte die heiße Milchsuppe und den überzuckerten Semmelkuchen, dann kam der Bauer, zahlte dem Meister den Arbeitslohn und der Meister mir den Wochensold aus, dann sagten wir gegenseitig „Vergelt's Gott!" und „Bedank mich fleißig" und „Glückselige Feiertage!" und gingen davon. Mein Meister ging in seinem Pelzspenzer[77] und mit dem Tuchkäpplein auf den grauenden Haaren gegen Hauenstein hinab; ich eilte meinem Alpl zu.

Um vier Uhr war ich daheim und stieg mit den schlanken Beinen hoch über meine Schwester hin, die eben an der Türschwelle kauerte, um den Rest des Fußbodens zu scheuern. Auf dem Herd war ein wütiges[78] Prasseln, meine Mutter schmorte vom geschlachteten Schwein das Fett aus. Mein Vater – ich kannte ihn schon an seinem langsamen, gelassenen Auftreten – ging oben auf dem Überboden herum, vielleicht um die Festtagskleider zu holen, oder den Weihrauch für das an diesem Abend gebräuchliche Räuchern im Hof.

„Bist da?" sagte meine Mutter mit ihrem vom Feuer geröteten Gesicht.

---

[74] Ranzen

[75] Ahle

[76] Strähne

[77] kurze Jacke

[78] heftiges

„Ja", antwortete ich in fröhlich singendem Ton.

„So geh zum Ofen und tu die Schuh aus; ich hab dir die Patschen schon hingestellt. Bist hungrig?"

„Nein", sagte ich. – Das waren zur Winterszeit immer die ersten Worte, die zwischen mir Heimkehrendem und der Mutter gewechselt wurden.

In der Stubenecke stand ein kleiner Winkelkasten, zudem ging ich zuerst: es waren meine Bücher und Schriften drin. Nun da die vielen Feiertage da waren, sollte das wieder ein Leben werden! – Aber die Feiertage sind mir in diesem Jahr für meine Arbeiten nicht gedeihlich gewesen. Fast plötzlich begann es zu geschehen.

Kaum hatte draußen das Schmoren ein Ende, so kam meine Mutter in die Stube, schaute ein paar Mal zum Fenster hinaus, was sie immer tat, wenn ihr irgendetwas anlag.

„Du, Bub", sagte sie endlich, „weißt es schon?"

Ich sah sie an. Wenn sie mit den Worten: Weißt es schon? etwas einleitete, so konnte man stets auf was gefasst sein, das man noch *nicht* wusste.

„Du sollst morgen nach Krieglach hinuntergehen", redete die Mutter weiter, „auf der Post sollen allerhand Briefe und Sachen für dich dasein. Der Knittler Kohlenführer hat es uns wissen lassen. Er kriegt's nicht mit, weil auch was zu unterschreiben ist."

„Briefe? Auf der Post?" Alle Geister waren in mir aufgeregt. Aber die Mutter ging so ein paar Mal durch die Stube und schaute wiederholt zum Fenster hinaus. Es kam noch was nach.

„Und in der Neu-Zeitung sollst auch stehen", sagte sie plötzlich.

„Wer? Ich? In der Zeitung? Wer hat denn das gesagt?"

„Der Kohlenführer hat's gesagt. In Krieglach täten die Leut seit etlichen Tagen nichts reden als von dir. Weiß selber nicht, was das bedeuten soll."

Meine Ruh' war hin.

Nicht erst morgen. *Sofort* zog ich mein Sonntagsgewand an, ließ mir die Stalllaterne herrichten, die seit Jahr und Tag auf einer Seite die zerbrochene Scheibe hatte, und machte mich auf den Weg nach Krieglach. Die Nacht war dunkel, der Pfad im Schnee schmal und löcherig. Dennoch hatte ich soviel Sammlung unterwegs an all die mutmaßlichen Ursachen zu denken, welche denn die „vielen Briefe und Sachen" für mich gebracht haben konnten.

Vom Zeitungsherrn, dem ich durch den Firmpaten meine Schriften zutragen ließ?

Das konnte wohl *einen* Brief geben; aber viele? Ich hatte keine Bekannten in der weiten Welt; was soll's denn sein?

Um elf Uhr nachts, als sie schon das erste Mal zur Mette läuteten, kam ich in Krieglach an. Fenster und Türen der Postkanzlei waren mit Eisenläden fest verschlossen. Wenn ich warten musste in meiner Aufregung bis zum lichten Morgen, was konnte das für eine Nacht werden?

Als der mitternächtige Gottesdienst anfing, ging ich in die Kirche. Ich sah die Kerzenflammen, die mich sonst so sehr entzückt, das erste Mal nicht mehr! – ich hörte die Krippenlieder nicht. Ich betete, dass mich Gott den Morgen möchte erleben lassen.

Nach dem Gottesdienst nahm mich ein Bekannter, der beim Lebzelter Pferdeknecht war, mit in den Stall und teilte mir mit, dass er gestern im Gastzimmer an drei Tischen von mir sprechen gehört habe, jedoch nicht klug geworden wäre, ob's eine Ehrensache gewesen oder eine andere. Der Schleiferbub sei halt auch in der Zeitung gestanden, wie sie ihn eingesperrt hatten.

„Ich werde nicht eingesperrt!"

„Das denk' ich wohl auch", sagte der Pferdeknecht gelassen, „aber du hast einmal Papierzehnerln nachgemacht – hab wohl eines gesehen. Und wenn du deswegen in der Zeitung bist, dann wirst du auch eingesperrt."

Es war eine böse Nacht, aber der Christtag kam mit seiner Poststunde.

Um sieben Uhr stand ich schon mit verfrorener Nase vor dem Posthaus. Um acht Uhr erst ging die Eisentür auf. Der Briefausträger machte sich eilig zu schaffen. Leute, die ihre Sachen selbst holten, kamen herbei, die Lotterieschwestern drängten (beim Postamt war auch die Lotterie), und endlich redete der Beamte mich an, was ich wolle.

„Briefe sollen für mich da sein?"

„Wie heißen Sie?"

Ich nannte meinen Namen, da hob der Beamte sein Haupt, sah mich eine Weile an und sagte dann: „Wollen Sie etwas später kommen, bis der Andrang vorbei ist."

Ich ging nicht mehr fort, im Winkel hinter der Tür blieb ich stehen und hatte bittere Gedanken. Alle anderen kriegen ihre Briefe, warum ich nicht? Endlich jedoch ließ das Gedränge nach, und als das letzte Lottoweib glücklich bei der Tür draußen war, sah der Beamte lächelnd auf mich hin, hob dann aus einem Fach eine schwere Hand voll Briefe, Scheine und Paketchen, legte dieselben vor mich auf das Pult und sagte: „Alles für den steirischen Naturdichter."

So war's, als die erste Botschaft zu mir kam von jener Schicksalswende meines Lebens.

Ich weiß nicht, ob es recht ist, dass ich selbst davon so rede; aber ich tue es deswegen, weil ich von anderen Leuten diese meine Sache schon so oft und immer ganz unrichtig erzählen gehört habe. Will aber nicht versuchen, die Gefühle zu schildern, als ich den Aufsatz las, den Doktor A. V. Svoboda, der Redakteur der Grazer „Tagespost", in dieser Zeitung über mich und meine ihm gesandten poetischen Versuche veröffentlicht hatte: – Es möchten sich Wohltäter finden, die es dem jungen Naturdichter ermöglichen, aus seinen kümmerlichen Verhältnissen hervorzutreten und sich etwa in der Stadt eine entsprechende Ausbildung zu erwerben! Das war die Bitte Svobodas. Und Gedichtproben dabei.

Nun waren Anträge da, freundschaftlich beglückwünschende Zuschriften, Bücher, sogar Geldspenden „auf ein gutes Glas für Weihnachten". Mir schwindelte der Kopf. In einem Jubelrausch taumelte ich nach Hause – und habe das Christmahl vergessen. Den Meinen las ich alles vor, sie verstanden noch weniger als ich, was es war. Aber die Mutter sagte: „Du, Bub, gib Acht, dass sie dich nicht zum Narren machen!" – Es war nahe daran, und ich sagte mir noch: Schau, wenn du jetzt aus diesem Traum plötzlich erwachst, so musst nicht verzweifeln!

In den nächsten Tagen erhielt ich wieder Bücher und neue Briefe und darunter auch einen freundlichen Antrag vom Herrn Buchhändler Giontini aus Laibach: – Ich könne, wenn ich Lust hätte, in sein Geschäft eintreten und die Buchhandlung lernen. Er machte mir so vorteilhafte Bedingungen, dass mir blau vor den Augen wurde. Während der Lehrzeit monatlich acht Gulden und die volle Verpflegung in seinem Haus und das Reisegeld!

Was sollte ich tun? Sofort schrieb ich nach Graz an Doktor Svoboda. Ich schrieb meinen Dank, ich bat um Rat.

Nach Laibach gehen! war die Antwort. In Graz selbst war eben noch keine Nachfrage nach mir gewesen.

Nach Laibach! Nun war das Wichtigste, zu erforschen, wo das Laibach wäre, und mittlerweile war auch schon das Reisegeld da.

Ja, sollte es denn ernst sein? Sollte ein Neues werden? Und sollte mein bisheriges Leben plötzlich abreißen, dort, wo es an die zweiundzwanzig Jahre alt und im Begriff war, eine gutbestallte Schneiderexistenz zu werden?

Am nächsten Werktag ging ich in die Wohnung meines Lehrmeisters, er saß längst auf seiner Bank, hielt das linke Knie an den Tischrand und nadelte. Er machte ein finsteres Gesicht und überhörte meinen Gruß, denn es war um eine gute Stunde später, als ich sonst das Tagwerk anzufangen pflegte. Da er aber sah, dass ich im langen braunen Tuchrock und ohne Ränzel vor ihm stand, sagte er: „So? Von woher hast du dir den heutigen Feiertag kommen lassen? So einen möchte ich auch haben."

„Meister", sagte ich klopfenden Herzens, „es ist etwas so Närrisches geschehen, und jetzt soll ich nach Laibach gehen!"

Er ließ die Hand mit der Nadel auf dem Knie liegen, hob den Kopf und fragte: „Wo sollst hingehen?"

Ich packte alle dazugehörigen Urkunden aus, die Zeitung, auf der ich gedruckt stand, den Antrag des Buchhändlers Giontini, den Beirat Doktor Svobodas und das Reisegeld.

Der gute Meister sagte lange kein Wort; endlich fing er an, den Kopf zu schütteln; seine feinrunzeligen Wangen waren rot, seine Lippen zuckten, und er sprach: „Ist's doch war, was man hört. Schau, schau, da ist auch wieder einmal einer, der das Gutsein nicht verträgt. Nun, ich halt dich nicht auf. Bist dein eigener Herr, kannst gehen, wohin du willst – wenn du's nur nicht einmal bereust."

Solche Worte machten mir das Herz nicht leichter. „Mir wär halt auch darum zu tun", meinte ich nach einer Weile, „dass der Meister nicht bös ist."

„Gibst das Handwerk auf?"

„Freilich möchte ich mein Glück anderswie probieren."

„Da hat man's!" rief der Meister und erhob sich, „solang's ein Elend war mit dir, hab ich dich gehabt, jetzt, weil du zu brauchen wärst, läufst mir davon!"

Erstarrt stand ich da und heftete meinen Blick auf den Meister.

Er holte das Bügeleisen vom Ofen und drückte seine neue Naht aus, er schnitt ein Unterfutter zurecht und heftete das Lodentuch darauf. Endlich fragte er: „Wie lang willst denn noch so dastehen?"

Da regte ich mich und murmelte: „Ich bleib schon."

„Meinetwegen geh nur", sprach er, „ich möchte keine Schuld haben und mir nicht vorwerfen lassen, ich wär dir zu deinem Glück hinderlich gewesen. Es mag dir ja recht gut gehen, ich wünsch es."

„So bedank ich mich tausendmal für alles", fuhr ich erleichtert drein, „was mir der Meister Gutes getan hat, und die Ellen hab ich noch vom Meister, die schick ich durch meinen Bruder zurück, und mir halt nichts übel nehmen!"

So Ähnliches wurde gesprochen, cann ging ich fort. Und als ich draußen an der Wand hinschritt, klopfte es am Fenster: ich sollte noch einmal zurückkehren.

Ich tat's, der Meister kam mir zur Tür entgegen, tat sein Sacktäschchen hervor und drückte mir zwei Geldstücke, die zusammen fünfzehn Kreuzer ausmachten, in die Hand. „Da", sagte er, „das nimmst mit. Wie's dir auch immer geht, das gibst nicht aus, das bewahrst zum Andenken an die Zeit, wc du dir, frisch und gesund, fünfzehn Kreuzer am Tag verdient hast. Vergiss dein Handwerk nicht. Behüt dich Gott!"

So ist der Abschied des Meisters gewesen.

Anders war der von der Mutter. Sie war einverstanden mit meinem Davongehen. Der Vater war's anfangs nicht. „Schlechter gehen wird's ihm nicht gehen als daheim", meinte er, „aber verdorben wird er uns."

„Ich hab ein gutes Vertrauen", sagte die Mutter, „und wenn du das nimmst, unser Herrgott (sie meinte den Herrn Jesu Christi) ist auch in der Welt herumgekommen und doch nicht verdorben worden."

„Unser Herrgott und unser Bub ist gar kein Vergleich!" sagte der Vater, gab aber endlich doch seine Einwilligung.

Emsig war die Mutter beschäftigt mit der Anordnung der wenigen Dinge, die zu meiner Abreise nötig waren. Mir lag vor allem daran, irgendwo ein Holzkistchen zu bekommen, um meine Bücher, Schriften und eigenhändigen Zeichnungen, mit denen ich mich zusammengewachsen fühlte, einzupacken; alles andere, das noch mitzunehmen war, war mir Nebensache.

Und am 14. Februar 1865, nachmittags zwei Uhr, saß ich am Tisch und sollte mein Abschiedsmahl essen.

Meine kleinen Geschwister standen alle in der Stube und sahen mich an. Ich nahm einen Löffel voll vom Roggenmus – wie Sägespäne war's; und die Mutter hatte gewiss in ihrem Leben nichts mit solcher Sorgfalt gekocht wie dieses Mahl. Übersatt stand ich auf. Meine ältere Schwester stand schon mit dem kleinen Pack[79], den sie mir bis Krieglach zum Bahnhof tragen sollte. Ich ging im Hause herum und suchte Vater und Mutter.

Den Vater fand ich im Hof am Brunnentrog, wo er mit einem Beil das Eis aufhackte, dass man zum Wasser gelangen konnte.

„Jetzt geh ich halt, Vater", sagte ich.

Er lehnte das Beil hin und ging, ohne ein Wort zu sagen, mit mir in die Stube. Dort saß jetzt die Mutter auf einem Schemel. Und als sie sah, wie ich nun das letzte Mal auf sie zuging, um dann weit von ihr zu wandern, da fing sie zu weinen an.

„Fort willst! Ja, warum willst denn von uns fortgehen? Und wir wissen nicht, wohin, und wir wissen nicht, was die fremden Leute mit dir wollen."

Rasch verließ ich das Haus auf dem Berg und ging noch ein letztes Mal die bekannten Wege durch Gräben und Wälder, über Höhen und Niederungen, hin gegen Krieglach. Meine Schwester schluchzte hinter mir drein.

Im Wald begegnete mir der Almhalter von den Heugräben, der fragte, ob ich eine Sackuhr oder Geld hätte.

„Geld hab ich."

„Fürchtest du dich nicht vor schlechten Leuten auf der Straße?"

„Nein."

„Hör, wenn dir einer unterkommt, dem du nicht recht traust, nur gleich anbetteln. Keck[80] das Hütl abnehmen und anbetteln; gibt er dir nichts, so nimmt er dir nichts. Behüt dich Gott und lass dir Zeit auf dem Weg." Sollte das Wort ein Almosen für meine Zukunft sein? –

Das Wirtshaus zu Krieglach, wo ich über die Nacht bleiben musste, war voll von Gästen. Sie hielten mir Hände und Gläser entgegen, als ich eintrat, sie waren alle meinetwegen zusammengekommen; ich hatte gar nicht gewusst, dass ich in dem großen Dorf so viele Freunde besaß. Erst jetzt gaben sie sich

---

[79] Bündel
[80] frech

zu erkennen, die Schäker[81]. Und alle redeten mich mit „Sie" an und riefen mich beim Schreibnamen und setzten jedes Mal das „Herr" dazu. Vor diesem Tage hatte kein Mensch auf der Welt „Sie" zu mir gesagt, aber als später, nach Jahren, im lieben Krieglach wieder das „Du" an die Ordnung kam, hatte es einen ganz anderen Klang und Sinn als vorzeitlich, da ich der arme scheue Alplbauernjunge gewesen war.

Am feinsten unter der Versammlung war die Tochter des Wirtes, welche mir zur Ehr' mit Begleitung der Laute nach schrecklich langem Stimmen der Saiten den „Abschied von den Bergen" sang.

Und am anderen Tag in der nebelfrostigen Morgendämmerung ging ich dem Bahnhof zu. Der „gemischte Zug"[82] führte mich davon. Ich blickte zum Fenster hinaus, sah aber von meiner Heimatgegend nichts als den grauen Nebel, und da sagte ich mir: Jetzt schon bist in der Fremde.

In Graz stieg ich auf einen Tag aus, um meinen Gönner zu sehen. Für die Wunder der großen Stadt hatte ich keine Zeit, mein Wichtigstes war, in der Welt Fuß zu fassen.

Doktor Svoboda lächelte, als er das Urbild seines von ihm öffentlich beschriebenen Naturdichters sah.

„Besitzen Sie keine Handschuhe?" war eines der ersten Worte, die Svoboda zu mir sprach, als er beim Händedruck meine krebsroten, eiskalten Finger fühlte. Nach seinem Überrock eilte er, brachte ein Paar braune Tuchhandschuhe herbei und schob sie mir an die Hände. Und das war der erste Schritt zur Kultur – heute noch überflüssiger Aufwand, morgen Bedürfnis. Du mein lieber Gott, was diese ersten Handschuhe alles mit sich gezogen haben!

Doktor Svoboda lud mich zu seinem Tisch. Ich sprach ihm von meiner Vergangenheit, er mir von meiner Zukunft. Der Plan zu einem neuen Leben baute sich auf, dass ich erstaunte.

Unter den Büchersendungen nach Alpl waren auch Schillers Werke gewesen, aber ohne Namen des Spenders. Dass man was schenken kann, ohne sich selbst dabei zu zeigen, zu nennen, war mir was Neues, und ich wurde sehr neugierig auf den Freund, der so mit mir Verstecken spielte. Svoboda wusste es, wer der Spen-

---

[81] Schelme
[82] Personen- und Güterwagen

der war und nannte mir den Grazer Großindustriellen Reininghaus. Ich wollte ihn besuchen.

„Sie werden abgewiesen werden", meinte mein neuer Führer. „Zwar nicht von ihm, aber von der Dienerschaft. Der Herr ist nicht zu sprechen, nicht zu Hause, wird es heißen. Doch dringen Sie darauf, und gehen Sie nicht eher vom Fleck, als bis Sie den Herrn gesehen haben."

Die Welt ist so eingerichtet, dass man nur durch Keckheit und Beharrlichkeit zu etwas kommen kann. Ich ging in das Fabrikgebäude und handelte nach der Weisung. Weil ich den Namen vergessen hatte, so fragte ich nach dem „Reineke". Kein Mensch wusste, wen ich nur meinen konnte, bis mir ein Lastwagen zurechthalf, der mit schwarzen Lettern den gesuchten Namen trug. Seither vergaß ich ihn freilich nicht wieder. Eine kleine Stunde stand ich neben dem Torwart, nach welchem der Herr wirklich nicht zu Hause war. Als er aber sah, dass ich warten wolle, bis der Herr nach Hause käme, wies er mich in das Gebäude. Ich fand mich in dem großen, von Menschen, Pferden, Ochsen und Wagen belebten Hof nicht zurecht, der Lärm der Maschinen von allen Seiten betäubte mich, ich verlor den Mut und sah mich nach dem Ausweg um. Da klopfte mir plötzlich einer ziemlich stark auf die Achsel:

„Wen suchen Sie?"

„Den Herrn Reininghaus."

„Was wollen Sie denn von ihm?"

„Mich bedanken; er hat mir Bücher geschickt."

Jetzt sah mich der Mann an. Da kommt so ein Junge, nicht um zu bitten, sondern um zu danken! – Reininghaus war es. Er führte mich in seine Wohnung, die so fabelhaft schön war, dass ich gar nicht wusste, wie mir geschah. Ich sah mich in den Wänden widerspiegeln, ich hörte meine eigenen Tritte nicht; der Fußboden war mit lauter blumigen Tüchern belegt. Der Stuhl, auf den ich mich setzen musste, war viel zu weich, als dass es ein gutes Sitzen gewesen wäre. Hier wurde wieder nach meiner Lebensgeschichte gefragt; und die war so langweilig, dass ich mich fast schämte, sie dem Herrn zu erzählen.

„Ich habe gelesen, dass Sie auch zeichnen können!" sprach er und legte auf senen Schreibtisch Papier und Bleistift hin. „Zeichnen Sie mir da mal was!" – Ich setzte mich hin und sann. Was soll ich denn zeichnen? Ich schaute herum. Über dem

Schreibtisch hing das Bild einer jungen, schönen Frau. Das sah ich an und sah es an und – legte den Bleistift wieder hin: „Ich kann nicht zeichnen!" Das Bild hatte meinen Künstlermut gebrochen.

Schließlich gab er mir Geld.

„Gehen Sie in Gottes Namen jetzt nach Laibach", sagte er, „und wenn Sie Rat und Tat nötig haben, so denken Sie an mich."

Und am anderen Morgen fuhr ich davon. So lernbegierig war ich, dass ich unterwegs alle Bahnstationen aufschrieb und auswendig lernte. Die Welt kennen lernen, da mussten ja doch auch die Bahnstationen dabei sein.

Nach einer siebenstündigen Fahrt war ich in der Hauptstadt Krains. Hier derselbe Frost und Nebel wie im Mürztal, aber die Leute hatten eine Sprache, die ich nicht verstand.

Es war schon abendlich, als ich mit meinem Reisepack unter dem Arm in die Buchhandlung trat und etliche Ladengehilfen ansprach, ob sie der Herr Giontini wären, bis ich endlich vor dem Rechten stand, mich auswies und die Frage tat, ob ich nicht sogleich anfangen solle? Was ich gefürchtet, traf nicht ein, mein neuer Herr antwortete mir in deutscher Sprache. „Heute", sagte er, „richten Sie sich in der Wohnung ein, dann sehen Sie die Stadt an und mein Geschäft. Morgen werden wir's versuchen."

Im Zimmer der Gehilfen wurde mir ein gutes Bett angewiesen. Ich stellte über demselben meine Bücher auf. Dann war ich eingerichtet und starrte die Hausfrau nur befremdet an, als sie mir eine Lade öffnete, in welcher ich meine Kleider bergen konnte. Für meine Kleider wusste ich nachgerade keinen besseren Platz als meinen Leib. Das viele Geld, das ich besaß, steckte ich hinter die Lade. Dann ging ich und sah die Stadt an, und wo eine Kirche offen war, trat ich hinein, um zu beten.

Als ich mich hierauf in der großen Buchhandlung, der ich nun angehören sollte, es war eine vorwiegend deutsche, umsehen durfte, erschrak ich über die Unwucht[83] von Büchern.

Am nächsten Morgen, als ich aus einem anmutigen Heimattraum geweckt wurde – einer der Gehilfen hatte derb an der Decke gerüttelt – war ich etwas unangenehm berührt, dass ich mich in einem weltfremden Haus befand. Tagsüber wollte ich mich im Geschäft nützlich machen, es gab Pakete zu binden,

---

[83] Masse

andere zu lösen, eine slawische Heiligenlegende wurde gefalzt; aber ich musste zu wenig anstellig sein, man arbeitete mir die Sachen schweigend vor der Hand weg und ließ mich im Winkel stehen. Ich fühlte, dass ich mir nicht einmal den Kaffee und das Butterkipfel, so ich an dem Tage schon genossen, würde verdienen können.

Erst am Nachmittag des dritten Tages führte mich Herr Giontini in seine an die Buchhandlung stoßende Leihbibliothek, zeigte mir die Ordnung der Bücher, wo verlangte zu finden, zurückgebrachte einzuschieben wären, und sagte mir, das würde von nun an mein Geschäft sein.

Jetzt war ich zufrieden und wollte gleich all die kleinen Unordnungen der großen Büchersammlung am ersten Tage schlichten – und erfuhr es abends, wie unglaublich eine derartige Hantierung mit Büchern ermüde und im Kopf und Herzen leer lasse. Am Abend sank ich ins Bett und schlief; aber das mir stets durch ein scharfes Rütteln abverlangte Erwachen am Morgen war übel. Mein Lehrmeister hatte mich auch jedes Mal aufrütteln müssen, doch ich war durch dasselbe nicht in die Fremde geworfen worden. Hier aber war ich in fröhlichen Träumen die ganze Nacht daheim in den Waldbergen, daher war das Erwachen eine Enttäuschung. Und wenn ich dann die Socken anzog, die mir noch die Mutter selber gestrickt hatte, wurde mir weh. Und wenn ich das Sacktuch hervortat, war es dasselbe, welches die Schwester so sorglich gewaschen und mit drei roten Kreuzchen gemerkt hatte, da wurde mir weh.

Und so kam ich hinein in jene Stimmung, die mir alle Freude an meiner neuen Stellung verdarb. Am vierten Tag schon fragte mich Frau Giontini, warum ich so rote Augen hätte. Ich antwortete beiseite gekehrt, das käme vielleicht vom Bücherstaub.

Die Bücher, die sonst meine einzige Freude gewesen, ekelten mich an, und kam mir erst einmal ein solches zur Hand, das ich in Alpl schon gelesen hatte, da tat mir erst das Herz weh.

Am fünften Tag mochte ich meinem Herrn nicht mehr geheuer vorkommen, denn er trat in die Leihbibliothek und sagte zu mir: „Es scheint, mein lieber Junge, dass Ihnen die beständige Zimmerluft nicht wohltut. Gehen Sie mitunter ins Freie und etwas spazieren."

Ich ging zur Sternallee hinaus und weinte. Dann ging ich bis zur Eisenbahn hin und sah die Schienen an. Das waren ja dieselben

Schienen, die von hier ununterbrochen bis Krieglach führten. Dieser Gedanken tröstete mich außerordentlich. Ich ging in eine Kirche, um dem lieben Gott für den Trost zu danken und ihn zu bitten um weitere Stärke, dass ich es in der Fremde aushalten und zu einem besseren Leben bringen möchte. Dann eilte ich in das Geschäft zurück und arbeitete frisch.

Bei einem Spaziergang am sechsten Tag war der Nebel weg, und ich sah die Berge. Die Bäume waren beschneit und bereift wie in Alpl, und es waren doch ganz andere, die in einem fremden Land standen und unter Menschen, die eine fremde Sprache redeten. Eine mächtige Sehnsucht erfasste mich nach den beschneiten Bäumen in Alpl. In meiner Herzensnot beschloss ich, zu Doktor Costa zu gehen. Doktor Costa, eine bekannte Persönlichkeit Krains, hatte mir nämlich auf den Artikel in der Zeitung hin Bürgers Gedichte nach Obersteier geschickt. Mein väterlicher Freund in Graz hatte mir geraten, mich dem Herrn gelegentlich in Laibach vorzustellen.

Er war ein alter, grauköpfiger Mann. Ich stellte mich ihm vor, dankte für die Gedichte, und als er mich fragte, wie es mir in Laibach behage, fing ich zu schluchzen an.

„Was denn? Was ist denn?" rief er, „was fehlt Ihnen? Brauchen Sie etwas?"

Ich schüttelte den Kopf: „Heim."

„Ei so", sagte er gelassen, „Heimweh haben Sie. – Ja, Lieber, das müssen Sie überwinden. Wenn Sie es zu etwas bringen wollen, so müssen Sie ein Mann sein."

Ohne Trost verließ ich ihn. „Daheim, o mein Daheim! Und wärest du auch mit einem Dornenkranz umflochten. Leiden lässt sich's überall auf Erden, freudig sein im Herzen nur daheim!" So schrieb ich an jenem Tag in mein Büchlein, und weiter: „Zum Lieben und zum Scherzen war die Hütte der Heimat, nur zum Jugendtraum gebaut. Zum Leben und zu Taten zieh ins Weite, und nur zum Ruhen kehre wieder heim."

Traurig kehrte ich zu den Büchern zurück, schlug eins ums andere auf und wieder zu, und so übel war mir zumute, dass ich heute noch in den Buchhandlungen jenen Druckerschwärze- und Papiergeruch nicht vertragen kann, der mich damals übersättigte. Heimweh ist ein von nur wenigen gekanntes Weh, aber wer es kennt, der wird mir's glauben: Nie in meinem Leben war ich ärmer als in jenen Tagen. Am zweiten Tag hatte ich einen Brief geschrieben an meine Eltern, dass ich glücklich angekommen wäre und wie gut es mir gehe. Am fünften Tag schrieb ich wieder, aber der Brief fiel so aus, dass ich ihn nicht abschicken konnte, sollte ich nicht auch noch meine Mutter unglücklich machen.

Von Neuem zur Arbeit wollte ich meine Zuflucht nehmen. Am siebenten Tag sprang ich wie besessen die Wandleitern auf und ab und reihte die Bücher ein. Neu von der Handlung kommende zeichnete ich mit dem Stempel der Firma und ordnete sie für den Buchbinder. Kunden wurden bedient, wohl oder übel. Und sobald ich wieder allein war, nagte im Herzen tief und tiefer das Weh. Traurig lehnte ich des Abends am Pult, und über mir brannte mit ausgebreiteten Flügeln still die Gasflamme. Ich kam mir vor wie eine verlorene Seele. Es war Zeit zum Torschluss. Ich wollte in die Wohnung gehen und den Eltern schreiben, dass ich glücklich wäre und immer an sie dächte. Vielleicht, wenn ich ihnen meine Stellung recht freundlich ausmalte, dass mir leichter würde. – Noch hatte ich ein paar Bände „Gartenlaube" in den Schrank zu stellen. Einer dieser Bände fiel mir zufällig zu Boden, dass die Blätter rauschten. Ich hob ihn auf, bog die Ecken zurecht; dabei fiel mein Auge auf folgendes Gedicht von Albert Träger:

„Wenn du noch eine Heimat hast,
so nimm den Ranzen und den Stecken
und wandre, wandre ohne Rast,
bis du erreicht den teuren Flecken."

Das war entscheidend.

Eilig drehte ich die Flamme ab, ging in die Wohnung zu Herrn Giontini und teilte ihm mit, dass ich nach Hause müsse.

„Ich dachte mir's", sagte er. „Nun, gehen Sie mit Gott. Und wenn Sie wollen, so kommen Sie wieder."

Gewiss nicht! schrie es in mir, während ich von Herzen und unter Freudentränen dankte für sein Wohlwollen und dass er mir mein Fortgehen von seinem freundlichen Haus nicht für übel halte. Das war kein Schlafen in derselbigen Nacht, das war eine Jubelstimmung, und am anderen Tag war ich mit Sack und Pack um eine Stunde zu früh auf dem Bahnhof.

So ging's wieder der Heimat zu. Als wir bei Trifail über die steirische Grenze fuhren, gab's mir einen Ruck in der Brust. Herz, dein Freudensprung!

Heim nach Alpl und wieder das fleißige Schneiderleben und an Sonntagen auf freiem Feld bei den Herden und im grünen Wald! Die Welt reißt den Menschen auseinander. Sie ist zu ruhelos, zu heiß, zu kalt. Bleibst daheim und lebst zufrieden. –

Da kam das Merkwürdige. Je weiter ich in unser Steierland hineinfuhr, je mäßiger wurde die Sehnsucht nach der Heimat. In Graz gedachte ich auf einen Tag auszusteigen, um mich bei meinen Gönnern für ihren guten Willen zu bedanken und dann für immer ins stille Waldtal zurückkehren. Spätabends kam ich in die Stadt und übernachtete bei einem jungen Bekannten, einem Schriftsetzerlehrling, den mir auch der Zeitungsartikel zugeführt hatte. Der gute Junge wohnte bei einem Schuhmacher und schlief die Nacht auf zwei aneinandergerückten Stühlen, um mir sein Bett zu überlassen. Wir wurden noch am selben Abend du und du zusammen, und er sagte mir, dass ich in Graz im Herzen des Landes daheim wäre, und dass ich doch nicht mehr daheim als daheim sein wollen sollte.

Am anderen Tag ging ich zu Doktor Svoboda; dort wurde ich anfangs tüchtig gescholten und dann mit jener treuen Herzlichkeit zu Tisch geladen, mit welcher der wackere Mann in den verschiedenen Lagen meines Lebens mein unwandelbarer Freund geblieben ist. Am Nachmittag begab ich mich zu Reininghaus. Er lachte, als er mich sah, und meinte, es wäre recht, dass ich wieder zurückgekommen sei. Er wäre eine Schande für das Land, wenn junge strebsame Leute, die arm sind, aber was lernen wollen, über die Grenze hinausziehen müssten. Ich solle in Graz bleiben, brav studieren und das Weitere seine Sorge sein lassen.

Am nächsten Tag war eine Bitte in der „Tagespost", es möge eine Lehranstalt sich öffnen für den jungen unbemittelten Naturdichter, dessen jüngst gedacht worden war.

Aber die Pforten aller öffentlichen Lehranstalten in der Steiermark hatten rostige Angeln. Doktor Svoboda gewann einen Studierenden, der mir täglich ein paar Stunden Privatunterricht im Rechtschreiben und Rechnen erteilte. Erst gegen Ostern hin gelang es, mir an einer Privatanstalt, der Akademie für Handel und Industrie, einen Freiplatz zu verschaffen.